JN122931

guesthouse  press
ゲストハウスプレス

日本の旅の
あたらしい
かたちを
つくる人たち

ゲストハウスプレス編集部

はじめに

あなたはゲストハウスを知っていますか?
泊まったことはありますか?
ゲストハウスは、ホステルとも呼ばれ、水回りや
リビングが共同で、ドミトリーという相部屋もある
安価に泊まれる宿泊施設のことを言います。
ここ数年、全国あちらこちらでゲストハウスが
新たにつくられています。いったいなぜでしょうか?

この本は、海外中心のバックパッカーだった編集長が
日本のゲストハウスがおもしろい!と、
2010年頃から独自に宿泊調査を開始し、2013年に
日本初のゲストハウス専門フリーペーパーとして発刊した
「Guesthouse Press」をまとめた書籍です。
北海道から沖縄まで、23の個性あふれるゲストハウスの
オーナーや代表の方にお会いして、お話を聞きました。

旅は、そのとき会う人でがらりと印象が変わります。
友人同士の癒やしの観光旅行もいいけれど、
もっと自分の枠を広げるような、知らない人と話して
価値観がぶっ壊れるような体験をしてほしい。
人種や性別、年齢の垣根をあっという間に超えて
出会いが生まれ、縁がつながるゲストハウスは、
あなたの可能性を拡げてくれる場所です。

人と出会える、日本のあたらしい旅のかたち。
ゲストハウスの旅を、あなたもはじめてみませんか?

CONTENTS

ゲストハウスの基礎知識

ゲストハウスとは、ホステルやバックパッカーズとも呼ばれる安価で共有スペースが多い相部屋やカプセル式のベッドがある宿泊施設です。ゲストハウスでの滞在を楽しむために、標準的な設備の特徴や旅の必須アイテム、ゲストハウス旅ならではのアイデアをユーザーの声を交えてご紹介します。

ゲストハウスは旅人と地域をつなぐ架け橋

いいゲストハウスに泊まると、宿のスタッフやオーナーがその地域での楽しい過ごし方やおすすめの食事処を教えてくれることもあります。旅人とまちをつなぐ架け橋のような存在がゲストハウスで出会う人。プライバシーが保たれるホテルと違い、共有スペースが多いからこそ起こる出会いやハプニングも。偶然が起こす奇跡のような時間をあなたもぜひ楽しんでください。

ゲストハウス旅は共有スペースの有効利用が鍵

ゲストラウンジ（くつろぎスペース）

ラウンジは宿泊するゲストが自由に過ごせる空間。カフェだったりコタツが置いてあったりと宿によって内容は異なります。ここで次の旅の計画を立てたり、宿泊客やスタッフと話をしてみたりと、思い思いの時間を過ごせます。出会った人とご飯を食べに行くことも。一緒に旅して、時には一生のご縁が生まれることだってあるかも。

ゲストハウスユーザーの声

ゲストハウスのラウンジで、ついさっきまで赤の他人だったのに「どちらから？」って話しかけたら、話がとても弾みました！ ゲストハウスに行きはじめて、本当にたくさんの友だちができたなあ。

秘密基地のようなドミトリーベッド

ドミトリー（相部屋）のベッドルームはまるで秘密基地。たくさんのベッドから自分の場所を探すワクワク感。ベッドに入りカーテンを閉めれば、ライトやコンセントもある自分だけの空間です。カーテンで仕切られた二段ベッドや和室でふとんを並べる場合もあります。ドミトリーが苦手な人は個室がある宿を選びましょう。

編集部からの 一口アドバイス　夜、寝静まった後にものを取り出す時のビニールのガサゴソ音。気になる時は洗濯ネットに入れるのがおすすめです！ 取り出す時の音も静かで服も小分けにできて便利。周囲の音が気になる時は耳栓代わりにノイズキャンセリングヘッドホンを使ってみて。

機能的なシャワー・トイレ・洗面スペース

ゲストハウスが安価に利用できるのはシャワーやトイレなどの水回りが共用だから。浴室はなくシャワーのみの宿がほとんど。深夜は使えなかったり、混み合うこともあるので、チェックイン時に利用時間を確認し、ゆずりあって利用しましょう。洗濯機や乾燥機があるゲストハウスも多いので、長旅や長期出張の方も安心です。

編集部からの 一口アドバイス　ゲストハウスの近くには昔ながらの銭湯や温泉施設があることも。シャワーだけでは物足りない人は利用をおすすめします。シャンプー・コンディショナーの使い切りサイズやサンプルを持っていくとかさばらず、いろんな種類を気軽に使えて便利です。

自炊もできるキッチン

どこの宿でも共用の冷蔵庫や電子レンジなどがあり自由に使うことができます。またキッチンがあり調理器具を使えるところでは食材を持ち込んで自炊も可能。新鮮な食材を買って料理するのはゲストハウスならではの楽しみです。作ったごはんをシェアすれば他のゲストと話すきっかけになることも。利用後はきれいに片付けて！

ゲストハウス ユーザーの声　キッチンでコーヒーを淹れていたら、瓶ビールを持った外国の方が困っていたので一緒に栓抜き探しを開始。結局発見できず、代わりにキッチンバサミで栓を開けるとプシュッといい音♪ 言葉も分からないけど2人で乾杯！ とてもHappyな時間でした。

ゲストハウスの滞在を快適に楽しむ方法

ゲストハウスを旅するのに特別な装備は必要ありません。けれども何でも揃っているホテルや旅館とは違い、少しだけ自分で持参したほうがよい持ち物もあります。いつもの旅に少しの工夫でもっと楽しく快適に！ ゲストハウスプレスのTwitterフォロワーのみなさんにもゲストハウス利用のコツや魅力を聞いてみました。

ゲストハウス滞在を快適にする持ち物リスト

ゲストハウスに泊まるときに持って行くと便利なものやグッズがあります。国内か海外か？ 短期か長期かでも持ち物は違いますが、いずれにせよ、あるとよいのが右の表。タオルやアメニティ類が部屋についていないので持参するのが基本です。他には耳栓、冷暖房の効きをセルフカバーする羽織ものや冷却シート、カイロや湯たんぽなどの保冷保温グッズを持ち込む人も。朝に自分好みのお茶やコーヒーを淹れると贅沢な気分に浸れます。

室内着（パジャマ）	就寝後トイレに行くときにも困らないパジャマっぽくない格好を用意すると重宝します
速乾性タオル	タオルは有料レンタルのところも。軽くかさばらない速乾性タオルがあると便利です
歯みがき・アメニティ類	忘れやすい盲点が歯ブラシなどのアメニティ類。肌の乾燥を防ぐ保湿パックもおすすめ
充電器・コード類	スマホやPC・カメラなどの充電器やコード類は必須。最近はUSB充電があるところも
ビーチサンダル	靴を脱ぐ日本のゲストハウスでは頻度が低いが靴のまま利用する宿ではビーサン最強！

達人が持っていく！ 旅の便利アイテム

電源タップ
3口くらいの小さい電源タップを荷物に忍ばせておくと、スマホやデジカメなどを同時に充電できてストレスも軽減。

手ぬぐい
薄くて軽いので乾きやすい。洗面タオル代わりやヘアバンド、汗拭きに。光を遮る明かり除けにも使える万能選手。

レターセット
レターセットやおしゃれなメモ帳を持参しよう。宿の人やゲストに気の利いたメッセージや手紙でお礼を伝えてみては？

マスク
冬場の乾燥やほこりが気になる人は使い捨てタイプのマスクが保湿にもなり便利。もちろん旅ナカの風邪予防にも。

ゲストハウスは出会いときっかけの宝庫

人が行き交うゲストハウス。そこでは多くの出会いやきっかけが生まれることがあります。Twitterフォロワーのみなさんにゲストハウスで愛を感じた出来事や宿泊後の変化をハッシュタグツイートでリアルな声を集めてみました。

＜ ＃ゲストハウス愛を叫ぼう ＞

朝、ドリップマシンの使い方がわからず困っていたら同宿のゲストが助けてくれた。「なんでスーツ?」「仕事なんだ」「出張でゲストハウス?」と名前も知らない人と盛り上がった。その日の仕事は信じられないくらい上手くいった。以来仕事の前泊は常にゲストハウスを利用!

音楽をテーマにしたゲストハウスに宿泊。オーナーさんはチェリスト。ゲストの方がピアノ調律師でこの日限りのセッションが実現。娘さんはカスタネットでお婆ちゃんとわたしはボーカル。一期一会の出会いも悪くないと思った。

＜ ＃きっかけはゲストハウス ＞

ゲストハウスを2年経営、いろいろな国の習慣や英語を学び自分自身が変化しました。近隣でもゲストハウスを始める人が増えて、私は宿の内装や広報について教えるように。街も賑やかになりました。

大好きな京都でゲストハウスを経営するため、今は不動産の勉強中。旅で一番思い出に残るのはいつもゲストハウスで出会った人たち。国も言葉も考え方も年齢もバラバラ。でもみんなキラキラしていた。そんな人たちともっと知り合いたい。

ゲストハウスの掟? よくある質問

ベッドシーツはセルフサービス?

最近はフルサービスの宿もありますが、ドミトリーのベッドメイクは自分でするのが一般的。チェックイン時にシーツを2枚渡されたら、1枚はマットレスの上に、1枚は掛けの下に敷いて自分がサンドイッチ状に挟まれて寝るのが正解。使用後は専用カゴの中へ!

人と交流? 静かに過ごしてもいいの?

人と話すのが億劫、誰かと交流するより旅先の夜はひとりで静かに過ごしたい……。時と場合によってそんな日は誰もがあるもの。わいわいと会話をするだけがゲストハウスの楽しみ方ではありません。ラウンジや自分のベッドで静かにくつろぐ時間もよいものです。

アンケートでみたゲストハウスの魅力とは？

「安かったから泊まった」はじまりはそうだとしても、ゲストハウス旅を愛する人は、いちばんの魅力は宿のオーナーやスタッフと、人の魅力をその要因に挙げています。さらに宿泊者同士や地元の人との交流、共有スペースがあることで思いがけない出来事に遭遇したこと……。アンケートでそんな声も集めてみました。

ゲストハウスのいちばんの魅力は何？

あなたにとってゲストハウスの魅力とは？ 宿泊料の安さ？ おもてなし？ 利便性？ ゲストハウスのヘビーユーザーも多いゲストハウスプレスのFacebookページフォロワーを対象に、2019年8月にアンケートを実施しました。

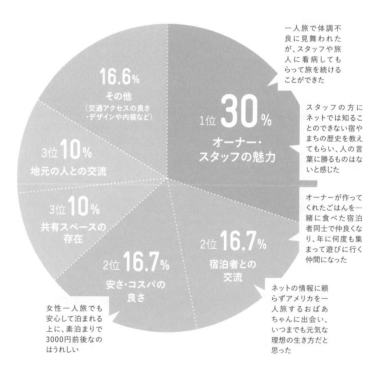

一人旅で体調不良に見舞われたが、スタッフや旅人に看病してもらって旅を続けることができた

スタッフの方にネットでは知ることのできない宿やまちの歴史を教えてもらい、人の言葉に勝るものはないと感じた

オーナーが作ってくれたごはんを一緒に食べた宿泊者同士で仲良くなり、年に何度も集まって遊びに行く仲間になった

ネットの情報に頼らずアメリカを一人旅するおばあちゃんに出会い、いつまでも元気な理想の生き方だと思った

女性一人旅でも安心して泊まれる上に、素泊まりで3000円前後なのはうれしい

16.6% その他（交通アクセスの良さ・デザインや内装など）

3位 10% 地元の人との交流

3位 10% 共有スペースの存在

2位 16.7% 安さ・コスパの良さ

1位 30% オーナー・スタッフの魅力

2位 16.7% 宿泊者との交流

思い出のゲストハウスエピソード

人生の転機に背中を押してもらえた

30歳で転職が決まり、不安で前を向けずにいたときに訪れた加計呂麻島で、遠回りした自分の人生以上にいろいろな経験をして生きる明るい人たちとゲラゲラ笑って楽しい夜を過ごしました。オーナーが「ここは人生の交差点なんだ」と教えてくれたゲストハウスは、日常からほんの少し離れて、立ち止まるのか進むのかを考えることができる場所でした。わたしの背中を優しく押してもらった忘れられない旅となりました。（さくら・30代女性）

日本各地にもうひとつの故郷ができた

初めてのゲストハウス旅で、同宿のゲストと地元のお店で夕食を食べ、あっという間に仲良くなれたことに衝撃を受けました。その後ゲストハウス巡りをするようになり、オーナーさんおすすめの地元のスポットやイベントを訪れて日本中に第二、第三の故郷ができました。ゲストハウスはガイドブックには載らない隠れた名所を教えてもらえたり、宿の交流スペースで呑んで楽しめるのがよいです。（しなの・30代男性）

迷子のおかげで地元の伝説を教えてもらえた

一人旅で訪れた香川で歩いていたら、大雨と霧で道が分からず30分ほど山道に迷ってしまいました。寒くて寂しくて惨めで…ひとりで知らないところに来たことを後悔していました。その夜ゲストハウスでオーナーさんや地元の方にその話をしたら、「それはたぬきのイタズラだね」と、地元に伝わるたぬきの伝説を教えてくれました。話を聞いて「迷子になって良かったかも」とほっこりした気分になりました。オーナーさんの美味しい料理にも癒され、本当に素敵な旅になりました。（りょこしゃん・20代女性）

みんなのおすすめゲストハウス

ゲストハウス好きがおすすめするのはどこ？ 気になる宿はぜひ現地へ！

おたるないバックパッカーズホステル杜の樹（北海道）/ cafe and guesthouse 灯り屋（群馬）/ GuestHouse FUTARENO（神奈川）/ 富士山ゲストハウス掬水（静岡）/ 赤石商店（長野）/ 森と水バックパッカーズ（長野）/ 伊勢ゲストハウス紬舎（三重）/ Guesthouse KYOTO COMPASS（京都）/ だんらん旅人宿 そらうみ（香川）/ GUESTHOUSE 醫（広島）/ ゲストハウス akicafe inn（広島）/ ゲストハウス・カムディ（鹿児島）/ FUJIYA HOSTEL（鹿児島）

※編集部に寄せられた情報をそのまま掲載しています。確認等はご自身でお願いします。

ご縁の数珠つなぎ。

ゲストハウスLAMP野尻湖
岡本共平さん

多様な生き方・考え方に気づかせてもらえること。人との出会いが自分の人生を豊かにしてくれる。

ゲストハウス蔵
山上方屋奈々さん

その土地の「日常」を体験できること。

山ノ家カフェ&ドミトリー
池田史子さん

ガイドブックには載っていない生きた情報が集まり、同時に地域に片足を突っ込んだ時間を過ごせるところ。

1166バックパッカーズ
飯室織絵さん

「旅は道連れ世は情け」一日身をゆだねることでしか得られない自身と向き合う貴重な体験を、提供し提供される場所。人だけじゃなく、色々な出会いが生まれやすい場所がゲストハウスであり旅の良さなのかなと思っています。

ポトリニテ
高村直喜さん

ゲストハウスは多様性、多様性に出会える場所。

とりいくぐる
Guesthouse & Lounge
明石健治さん

ゲストハウス旅の魅力は何？

ゲストハウスオー

その土地ならではの人や場所に出会えるところ。そして、その土地に暮らしている人たちの、暮らしの中に入り込んだような感覚で旅することができるところ。

guest house MARUYA
市来広一郎さん

人のハートに触れることができる！

ゲストハウスPongyi
横川雅喜さん

ホテルのようなおもてなしはないけれど、その土地の素顔が見え、町の日常を楽しむ旅ができるところ。

あなごのねどこ
尾道空き家再生プロジェクト
豊田雅子さん

予想以上の出会いや楽しみが得られる可能性があるのが旅行。ゲストハウスに泊まるって、旅に行くということなんだと思います。

ゲストハウス亀時間
櫻井雅之さん

ゲストハウスがあることでその場所に来たとか、そこで出会った人の話でその土地や国に興味を持ったとか、何かのきっかけになる場所だとか。僕にとっては特別な存在でありたいというよりその土地の空気みたいなものになりたいと思っています。

高野山ゲストハウスKokuu
高井良知さん

ゲストハウス内外での出会いに尽きると思います。

UNTAPPED HOSTEL
神輝哉さん

ランダムな出会い。地域の人や様々な場所からの旅人、その土地の風景や空気感や言葉、その全てが出会いであり、ゲストハウス旅の魅力です。

UNPLAN
福山大樹さん

ラウンジで地域の人や旅人に出会えるチャンスが広がり、旅の楽しみや地域の魅力が何倍にも広がる可能性があるところ!

飛騨高山ゲストハウスとまる
横関真吾さん

たまに友達ができる。それ以上のものが見つかることも!

ゲストハウス錺屋
上坂涼子さん

ナーに聞きました

知らない場所に行って、ふだん出逢えない人たちと出逢って、一緒にごはん食べたりお酒飲んだり共同生活できるとこ!

なきじんゲストハウス結家
日置結子さん

人やお店など、観光地だけでないその地の魅力を知ることができるところ!

マスヤゲストハウス
斉藤希生子さん

その土地の深みを探ろうとする試み。

有鄰庵
犬養拓さん

地域ならではの人や文化と出会えること。

喫茶、食堂、民宿 なごのや
田尾大介さん

既存の観光スタイルとは一味違った観光の在り方を提案できるところ。画一的で、どこか無機的な関わりではなく人と対峙できうる可能性に溢れたところ。

萩ゲストハウスruco
塩満直弘さん

ミニマムな価格でマキシマムな体験ができる可能性があるところ。

TEN to SEN ゲストハウス高松
杉浦聡美さん

自分が大事にしたいものをみつけられる!

福井ゲストハウスSAMMIE'S
森岡咲子さん

日本の旅の
あたらしい
かたちを
つくる人たち

2013年から発行してきたフリーペーパーGuesthouse Pressは、編集長の西村祐子が全国のゲストハウスに宿泊したなかで印象に残った施設を改めて訪問し、オーナーにインタビュー取材したものです。知ってもらいたいのは宿をつくった人のこと。どうしてゲストハウスを? どんな思いで? 動機やきっかけはさまざまですが、自らの力で宿を立ち上げ、運営する人たちは、あたらしい旅のかたちを通して、わたしたちにあたらしい生き方のヒントを与えてくれるかもしれません。

新潟・越後妻有で育む都会とローカルの交流拠点

01 山ノ家 カフェ＆ドミトリー ［新潟］

池田史子さん・後藤寿和さん

1階のカフェでゲストと談笑する空間設計担当の後藤寿和さん

里山で新しいライフスタイルの発信を

都会と地方をシームレスに繋ぐ

山ノ家カフェ＆ドミトリーは、新潟県十日町市松代にあるカフェと宿の複合スペースです。東京で空間デザインやアートプロジェクトの企画などを生業とする後藤寿和さん・池田史子さんのおふたりが、都内のオフィスを継続しつつ運営されています。

仕事の拠点としての都市生活と、ローカルの自然

地元の食材を使った朝食、これで500円!

資源を心ゆくまで堪能できる田園生活を同時に共有し、ネットワークする「ダブルローカル」という概念を提唱し、カフェや宿の運営・イベントやワークショップの開催などを通して、発信し続けています。東京のアートシーンの最先端で活躍中のおふたりが、何故今、山ノ家をつくったのか？お話を聞いてきました。

カフェやイベントで「磁場」をつくりたい

──こちらを作った経緯と目的は？

東京・恵比寿にある私たちのデザインオフィスgift_も事務所をギャラリーショップgift_lab（＝gift_の実験室）としてオープンにして、CDや本を置いたり、実験的な音楽のライブやアーティストトーク等のイベントを開催するなどしてきたのですが、より多くの人が日常的に出会える場をつくれたらと考えていました。そして2012年夏、偶然の縁が重なって、越後妻有・大地の

4人定員のドミトリールームは個室対応も可能

芸術祭の開催地として訪れたことがあった当地十日町市松代の「ある空き家」に出会い、発案から3ヶ月でのスピード開業。いつも私たちが目指している、何らかの「磁場」をつくりたいという思いから、自分たちだけの拠点を作るというよりも、様々な人が行き交い、何かが生まれていくためのプラットフォームという形を選択したのです。

地域の新しいコミュニティの場として

——カフェと宿を同じスペースに作った意味は？

私たちは、現地の人も都会から来た人も自然に集える場、そこで出会ったり、新たに面白い化学反応が起きるコミュニティの拠点としてカフェを捉えています。宿を併設したのは、私たちのように都市圏と行き来してくれる人たちのための第二の家、シェアハウスのような場所としても役立てばと考えたからです。私たちをここに招いた地元の地域活性の旗振り役で、山ノ家の応援者である若井明夫さんも、「ヨソモノ」の視点や何かにしばられない動き方が新たな地域活性の熱源になり得ると考えていたようですが、既に、ここ山ノ家で、彼が温めてきたアイデアが、いっしょに開催している「米」や「豆」など、里山の自然／農業体験をテーマにしたワークショップといったカタチで実現しています。

山ノ家
×
guesthouse ● press

——自分たちの理想の空間を目指した？

東京での日常がそのままここでシームレスに実現できるような場所を目指しました。常時Wi-Fiがフリーに使えて、自分たちらしく整えられた空間で寝泊まりできてシャワーもあって、お茶ができてご飯も食べられて、と。宿泊費も一泊5,000円を割るくらいの価格帯に押さえたいなと。放っておいてくれて、連泊しても比較的リーズナブルであるのに、ちゃんとつくられたホテルのような居心地の良さやもてなしもある。そうした意味では、ここは一般的な意味合いでのゲストハウスとは一線を画すかもしれないと思っています。

——ゲストハウスプレスは、「安宿」としてはゲストハウスを捉えていません。ですから、都会と地方を繋ぐ情報発信の場であるこちらは創刊号にふさわしい施設だと考えたんです。

内容は2013年10月GuesthousePress Vol.01発行当時のものです

山ノ家スタッフと池田さん

DATA

山ノ家 カフェ＆ドミトリー（新潟）

新潟県十日町市松代にある民家をリノベーションしたシンプルな空間に2段ベッドを設置したカジュアルなゲストハウス。上越新幹線・越後湯沢駅経由、ほくほく線 まつだい駅下車（越後湯沢から約40分）徒歩10分 巻末ゲストハウスMAP⑫P115掲載

【住所】〒942-1526 新潟県十日町市松代3467-5
【TEL】025-595-6770（10:00〜20:00）火・水定休
【MAIL】info@yama-no-ie.jp
【URL】http://yama-no-ie.jp/

山ノ家がある北越急行ほくほく線まつだい駅へはJR十日町駅から乗り換えするのが便利。十日町に来たら**越後妻有里山現代美術館キナーレ**へ。周辺地域は3年ごとに行われる大地の芸術祭 越後妻有アートトリエンナーレの期間以外にも数多くの野外展示が残されており、それらを辿って巡るのもおすすめです。**絵本と木の実の美術館**や越後松之山**森の学校キョロロ**など、こんな山奥にこんな施設が!? と驚くこと間違いなし。まつだい駅に近い**農舞台**ではセンスの良いお土産ものなども買えます。自然派の方には**美人林**や日本三大薬

湯のひとつ**松之山温泉**から見る棚田の絶景は外せません。豪雪地帯のこの周辺。冬に訪れて山ノ家カフェでのんびりするのもよさそうです。

絵本と木の実の
美術館

─▷ 山ノ家の今とこれから ─▷

都市と山間部に拠点をつくり、どちらも「地元」「現場」として、2つのローカルを行き来して仕事と生活をする「ダブルローカル」という新しいライフスタイルをはじめたおふたり。山ノ家オープン当初から、地域の伝統を活かし地元有志のみなさんと食と市のイベント、まつだい茶もっこを季節ごとに開催し続けています。また同じ十日町市内のコワーキングスペースのデザインと運営をサポートするなど、移住者と旅行者を繋ぐ存在として活躍中。2015年には築80年を超える集合住宅清洲寮の1階でギャラリーとセレクトショップ併設のカフェgift_lab

GARAGEもオープン。実は本業が空間デザインである彼ら。「場をつくること」にまつわる様々なデザインを行うチームとして、ますますその活動の場を広げています。

都会も地方も。
二拠点居住の先駆的存在

全国で広がるアートでまちおこしの走りとなったのがここ新潟県十日町市の周辺地域。大地の芸術祭がきっかけで、今までの観光目線では捉えきれなかった「なにもない田舎」に付加価値がつき、文化感度の高い人たちが数多く訪れるようになりました。山ノ家は2012年芸術祭シーズンに合わせて開業、芸術祭を訪れる顧客層にマッチした宿泊施設が周辺に少なかったこともあり大人気となりました。

現在は周囲にゲストハウスやショップなども増加、インバウンドの波及効果で外国人の訪問も増えています。インタビュー当時は珍しかった二拠点居住のあり方も、今では世間のトレンドになる勢い。都会か地方かという選択を迫るのではなく、多様性のあるライフスタイルのひとつとして、山ノ家はこれからも先駆的存在であり続ける気がします。

長野・須坂の古民家からはじまる国際交流

02 ゲストハウス蔵 [長野]
山上万里奈さん

ゲストハウス蔵　オーナー山上万里奈さん

ふるさと須坂で外国と日本の橋渡しを

長野県須坂市の築100年以上の古民家を利用し、2012年秋より営業しているゲストハウス蔵は、古い和の雰囲気を残しつつ、使いやすくアレンジされた館内と、オーナー山上万里奈さんの明るいキャラクターが、旅人たちの心をほっと和ませる宿。東京や海外での暮らしを経て、地元である須坂に戻り、ゲストハウスをはじめた彼女に、その経緯や思いをうかがいました。

離れて気づいた地元の素晴らしさ

──以前は日本語教師として活躍されていたそうですが、どうして須坂に？
地元が須坂で、大学時代に東京に出て日本語教師を目指したのですが、日本語教師は、3年間非常勤講師をしないと専任講師として認められず、しかもその間月給4万円（！）のこともあるなど待遇も良くない。だったら海外でその経験を積もうと思い、2年間中国で日本語を教えて

いました。
その後、日本で専任講師になり、そこで夫のサミーラと出逢いました。彼はスリランカ人なのですが、なかなか日本での就職活動がうまくいかない。しかも彼と結婚しようにも、結婚自体も偽装結婚を疑われ、政府がビザ発行を認めてくれないなど、トラブルだらけで……。だった

中庭の奥には本当の「蔵」も

レトロな洋風家具もさりげなく配置

中庭が見える縁側つきの個室は、小机やロッキングチェアもあり落ち着いた雰囲気

ゲストハウス併設のカフェ「La Vie Lente (ラビラント)」

ワシは「ずくなし蔵べぇ」宿のマスコットじゃ

蔵
×
guesthouse ● press

お互いの話や情報を通じて、これまでの自分の偏見に気づかされたりする。蔵のラウンジでは国籍も年齢も関係なく人が出会い、そこでは1対1の個人の関係が生まれます。そうすると、いくら国同士の関係が悪かろうと、個人同士はその影響を受けずにいられますよね。

ですから、今後は外国人ゲストの宿泊だけでなく、ワーキングホリデーの受け入れや、地域在住の外国人をお招きして各国紹介やお食事イベントをするなど、須坂で外国人を受け入れられる基盤づくりをしたいと考えています。

内容は2013年12月Guesthouse Press Vol.02発行当時のものです

ら自分たちで自分たちらしい何かができないだろうか？ 外国人と日本人の橋渡しがしたくて日本語教師になった私ですが、ゲストハウスなら、その夢も叶うのでは？ と。正直、昔は須坂のまちが好きではありませんでした。でも30歳を過ぎてから、やっぱりいいな、と思うようになりました。宿を始めるにあたり、須坂市長が物件紹介をして下さるなど、まちもとても協力的で。さらに市内在住の母親が「カフェをやりたい」と言い出し、宿に併設することになったのも、地元だったからこそ実現できたと思います。

国籍や年齢を越えて繋がる場所

──ゲストハウス蔵が大切にしている思いとは？
ゲストハウスは、外国人と日本人が個人的な関係性をつくりやすい場所。私は中国で2年暮らしましたが、現地の方にとてもよくしてもらいました。そういう個人レベルの経験や関係性って絶対崩れない。
蔵に来られたゲストが「国代表」のようになり、

蔵からアクセスもよい地獄谷野猿公苑は、外国人に大人気！見学は冬がおすすめ。

DATA

ゲストハウス蔵（長野）

長野県須坂市にある古民家を活かした和室のドミトリーと個室に、ラウンジ・カフェを併設したゲストハウス。長野電鉄須坂駅より徒歩15分。駐車場あり 巻末ゲストハウスMAP⑭P115掲載

【住所】〒382-0086 長野県須坂市本上町39
【TEL】026-214-7945（8:00～22:00）
【MAIL】info@ghkura.com
【URL】http://www.ghkura.com

GUEST HOUSE 蔵

ゲストハウス蔵がある長野県須坂市へは、**長野電鉄**（通称ながでん）を利用するのが便利。駅舎や線路の風情にかわいいレトロ感があって乗るだけでも楽しめます。ながでんに乗って小布施に行って**小布施堂**の朱雀モンブランを楽しんだり、終点の湯田中でレトロ温泉街や**地獄谷野猿公苑**のスノーモンキーを見に行くのも楽しい。須坂市内もこだわりの強いカッコいい古道具屋や紅茶のお店などができました。まちに残る味噌蔵や酒蔵を巡って**豪商の館 田中本家**で日本建築の凄みに触れて。季節ものの**山下薬局**の地元産ごぼう茶が手に入

れられたらラッキー。大絶景なのが日本の滝100選・落差80メートルの**米子大瀑布**。紅葉の季節にはバスも出ています。

山下薬局

⋯▷ ゲストハウス蔵の今とこれから ⋯▷

地元にUターンした山上さんの強みは地元との強い繋がり。ご自身が日本語教師という特徴もあり、外国人への日本語レッスンや地元のお祭りなどに参加するイベントを催すほか、宿泊するゲストが須坂のぶどう農家等で働くサポートをする「ワーキングホリデープラン」を行うなど、単なる宿泊施設以上の付加価値をつけたユニークな活動を行っています。小さな宿でもスタッフを雇い、「ゲストと地域、宿が一体となった感動のサイクルをチーム全体で実現していくことが宿の魅力につながる」と、日々のルーティンワークを大切にしながらも、

所属する「宿場JAPAN」の組織力を活かしゲストやスタッフを相互紹介するなど、常に時代の新鮮な空気を入れながら運営を続けています。

編集長の目

デザイン性を超える
宿スタッフのホスピタリティ

長野県須坂市は特別有名な観光名所はないけれど、絹織物で栄えた時代の名残がある品のよい風情のまち。須坂駅から徒歩10分ほどの中心地にある立派な古民家をゲストハウスにしたゲストハウス蔵は、建物のデザインと居心地のよさから何度もリピートしたくなる宿です。ゲストハウスの良し悪しは、宿がある地域の観光地としての知名度やデザイン性に加え、スタッフの質に大きく左右されま

す。ここは山上さんの明るいキャラクターと細やかな気配りが素晴らしい宿ですが、各スタッフも同様にホスピタリティの質を上げる取り組みを続けています。今後こうしたオーナー第1世代から受け継がれた第2世代が新たに別のゲストハウスを運営することもあるでしょう。よい宿の運営エッセンスが広く伝播していくことを願っています。

倉敷美観地区から世界へ地域のよさを発信

03 倉敷ゲストハウスくるま座有鄰庵［岡山］

中村功芳さん

倉敷を「夢を叶える」発信基地に

岡山県倉敷市の古い白壁の建物と倉敷川の景観で有名な倉敷美観地区。その中心にあるのが倉敷ゲストハウスくるま座有鄰庵です。オーナーの中村功芳さんは、地元倉敷のまちづくりに関わる中で、ゲストハウスを活用した地域づくりをしたいと、2011年4月より宿をスタートさせました。

併設のカフェで売り切れ続出の「しあわせプリン」海外からの口コミも！

まちの中心に人が出会う装置をつくりたい

——倉敷美観地区の中に宿を作った経緯は？
10年ほど前から地元倉敷のまちづくりに関わるようになったのですが、その中で倉敷というまちの風土として、歴史的に新しいことを始める気概のある人を認め、育てる伝統があることを知り、先人が築いてきた伝統を受け継ぐことがしたいと思い始めたのです。数年前、あるゲストハウスへの滞在がきっかけで、人が出会い、くるま座になって話し、点と点を結んで線や面になる場所として、まちの中心にゲストハウスがあると素晴らしいことが起こるのではないか？ とひらめきました。そのためには、どうしても国指定伝統建築群保存地区の日本で密集度が一番といわれ貴重な景観が残る美観地区のど

宿泊者同士の交流が生まれるチェックインの様子

倉敷川のほとりからみた有鄰庵。徒歩30秒です!

真ん中にその場所をつくりたい! と、今の場所を熱意と情熱で競合他社に勝ち抜き、地元有力者の方の同意を得て出来たのがこのゲストハウスです。

庭のように遊び、暮らすように過ごす場所

──有鄰庵をつくった目的と意図は?
僕は、倉敷を「夢を叶える聖地」にしたいと考えているんです。倉敷には若い力を伸ばす伝統と歴史があります。ですから、倉敷に来れば、大きな夢を叶えられたり、そのヒントが見つけられたりと、広くアーティストやクリエイターを応援する場所にしたい。有鄰庵がその中心的な役割を担えたらよいな、と。その想いは、ここから派生したシェアハウス事業や、倉敷のお隣岡山県早島町の伝統産業「いぐさ」復活がテーマの農家ゲストハウスなど、どんどん現実化してきています。
また、ゲストの方には、歴史ある倉敷美観地区を自分の家の庭のように遊び、暮らすように過

有鄰庵
×
guesthouse ● press

ごしてもらえたら。昼間は観光客で溢れていますが、夜や早朝は人も少なく、その良さが引き立ちます。江戸時代後期に建てられた古民家で、日本の古の生活を感じてもらいながら、ラウンジテーブルでくるま座になって世界中の人と知り合って、夢をここから実現して欲しいですね。

──これからの有鄰庵発の動きがとても楽しみです。
まだ計画段階ですが、今、無人島図書館計画など面白いプロジェクトが複数あります。また今後は、有鄰庵で築いてきたノウハウを多くの人に役立ててもらうべく、本格的なゲストハウス運営セミナーや全国の各地域で地域おこし講演会などを積極的に行っていきます。

内容は2014年2月Guesthouse Press Vol.03発行当時のものです

中庭や縁側など江戸時代後期の町家づくりの
古民家の良さを活かした館内

DATA

有鄰庵(岡山)
岡山県倉敷市・倉敷美観地区の中に建つカフェ併設のゲストハウス。現在はゲストハウス名を短く有鄰庵としているが、宿泊客がくるま座で自己紹介し合う時間は健在。JR倉敷駅から徒歩10分。巻末ゲストハウスMAP㉝P118掲載
【住所】〒710-0054 岡山県倉敷市本町2-15
【TEL】086-426-1180 (8:00〜21:00)
【MAIL】guesthouse@yuurin-an.jp
【URL】https://yuurin-an.jp/

有鄰庵に滞在したら夕暮以降に倉敷美観地区へお出かけを。昼間の喧騒が嘘のような静けさが最高です。日本最初の私立美術館**大原美術館**で名画を堪能したあとは、お隣の喫茶店**カフェ・エル・グレコ**へ。渋好みな人は**倉敷民藝館**や**倉敷アイビースクエア**の雰囲気もよいです。お土産もの探しなら**林源十郎商店**へ。センスのよいグッズからカフェ・レストランもあって大人気。**三宅商店**ではくだもの王国岡山ならではの季節のフルーツパフェを食べてみて。少し足を伸ばして倉敷市児島地区の**ジーンズストリート**で国産ジーンズを物色、

鷲羽山に登って瀬戸大橋と多島美の景色を堪能するのもおすすめです。山頂から見える**水島コンビナートの夜景**は夜景100選にもなっているそうです。

倉敷美観地区

---▷ 有 鄰 庵 の 今 と こ れ か ら ---▷

2011年にゲストハウス&カフェ有鄰庵が誕生、2016年より株式会社有鄰代表犬養拓さんがチームを率いて、現在はゲストハウスだけでなく一棟貸しの「新古民家再生空間バルビゾン」「暮らしの宿 てまり」や地元岡山ゆかりの商品を扱うショップ「美観堂」、カフェ「はれもけも」なども運営。ゲストハウスでは通常の宿泊に加えて「お試し移住プラン」やリモートワークプランなど、さまざまな用途で利用できる新しい試みも積極的に行っています。さまざまな業種や業態を営む理由はただひとつ、地域やそこにある資源の魅力をたくさんの人に伝えるた

め。最近は倉敷だけに留まらず、東京都内でマーケットやごはん会を開くなど、「えんをひろげる古民家」有鄰庵をハブとしてどんどんネットワークが拡がっています。

倉敷美観地区に根付いた
物語性のある仕掛けづくり

有鄰庵は倉敷美観地区の中心部という一等地に位置する古民家を利用した宿。以前は安価で提供するゲストハウスは、賃料を抑えるために立地的にやや劣る場所で営業することが多かったのですが、敷地内でゲストハウスとカフェを行うなど工夫を重ねた結果、行列のできる名物プリンが生まれ、宿も賑わうように。現在は一棟貸しの宿やカフェ、新しいスタイルの特産品ショップなど、

多様な形態で店舗運営を行っています。また、ゲストに対する行き届いた接客態度も好感が持てるため、彼らを慕い宿泊するリピーターが多いのも特徴のひとつ。スタッフ自身もそのまま移住したり、台湾や韓国など諸外国からのワーキングホリデービザを持つ若者を雇用するなど、ゲストハウスがあることで流動人口を増やすことに寄与した例といえるでしょう。

山中湖のほとりで輝いたどこにもない宿

04 宿 ホトリニテ [山梨]

高村直喜さん

宿は日本の美とこころを表現するアートプレイス

海外に出て知った日本の伝統と美しさ

――ホトリニテという名前の由来は？

ここは山中湖の湖畔にあって、祖父の代に建て
た保養所施設だったものを、僕が経営を引き継
いで運営しています。宿名の「ホトリ」と
いう言葉には、当然湖のほとりという意味
もありますが、加えて、アート、アーティ
ストのほとり、という意味合いも。名詞形
ではなくカタカナにすることで、その言葉自体、
人によっていろんなイメージを想起できるよう
な、余韻の伝わるものにしたくて。

――宿を継ぐことは最初から決めておられた？

いえ、全く考えておらず、以前はずっと音楽を
やっていました。実家の山梨から東京に出て、
渋谷の服屋で働きながらクラブでDJするよう

な生活です。その後、カナダの音楽がカッコい
い！ とバンクーバーに住んでいたときに、偶然
伊藤若冲という江戸時代の画家を知り、日本の
持つ伝統やアートの素晴らしさに気づきました。
帰国後も日本を旅しながら音楽を続けていたの
ですが、自分の音楽の作り方に矛盾を感じ
ることがあって……。改めて考えると、自
分にとっての音楽とは「コミュニケーショ
ンツール」。コミュニケーションしたいの
なら、実家の宿で、お客様と交流しながら日本
の美を表現すればよいのでは？ と考えたのが
きっかけでした。

既成の概念にとらわれない場所に

――ホトリニテは旅館ですか？ ゲストハウス？

ここはドミトリー室もありますが、基本的に和

室の個室中心の素泊まり宿です。1960年代の木造建築をできるだけ活かし、食事場所だった大広間をライブラリーにして、全国の造り醤油などの展示販売もしています。また、各部屋におすすめ本を置いたり、共同の冷蔵庫やドリンクコーナーがあったり、必ず廊下に生花を活けるなど、工夫はしています。ただ、設備もゴージャス過ぎず、気楽な感覚で利用できる「保養所っぽさ」を残して、高級旅館でもゲストハウスでもなく、これといったイメージがつかない、既成の価値にとらわれない「宿」にしたかったんです。

本質的に突き抜けた、他にはない宿を

──高村さんにとって宿とは？ 今後の目標を教えてください。

僕は、宿の運営とは行のようなものだと思っています。宿行に終わりはありません。ですからどんな困難な状況も、おもてなしの修行だと思えば、燃えますね（笑）。価格や設備も、常識などにとらわれることなく、本質的に突き抜けたい。価格が安いからチープでもいい、ではなくてこの値段でも施設内容やサービスをここまで出来る、というような、妥協のない表現をしていきたいですね。また、施設も「一生に一度部屋」など、他にはないものを増やしていけたら。英語対応など外国の方に来てもらいやすい環境も整えているところです。

内容は2014年4月Guesthouse Press Vol.04発行当時のものです

質にもこだわったセルフドリンクコーナー

館内は程よいレトロ感がある落ち着いた雰囲気。数種日替わりで山梨の産業を紹介

ホトリニテ
×
guesthouse ● press

DATA

宿 ホトリニテ（山梨）

富士五湖のひとつ山中湖畔に建つ1960年創業、木造三階建15部屋、和室中心の素泊まり宿。広大なライブラリースペースや大広間を利用したラウンジと清潔感溢れる館内と古さのなかにセンスを感じる内装とオーナーのおもてなしで世界的人気となった。2018年、惜しまれながらこの地の営業を終了。2019年12月より新天地で「ホトリニテ」をスタート予定。

新生「ホトリニテ」情報は公式サイトでご確認ください
【URL】http://www.hotorinite.com/

山中湖と河口湖の間あたりにある**忍野八海**（おしのはっかい）は富士山の雪解け水が地下の溶岩の間で約20年をかけて湧き出てくる湧水池。多数ある池のなかでも**涌池**は一番透明度が高く、周辺のお土産屋さんや富士山の眺望もあり人気の観光地。付近のさかな公園内**富士湧水の里水族館**も内容充実でおすすめです。近隣で食べるなら吉田うどんとほうとうは外せない。キャベツと馬肉が入った純手打ちの**渡辺うどん**や**大豊**の塩ほうとうや富士桜鱒寿司は高村さんも絶賛の味です。山中湖をぐるりとサイクリングしながら**Hammmock Cafe**や**湖麺屋リールカ**

フェで休憩したり、車で少し上がった**パノラマ台**で絶景富士山を見ることができたらきっと幸せな気持になれるでしょう。

パノラマ台からの
富士山

▷ ホトリニテの今とこれから ▷

宿泊者だけに滞在を許される広いライブラリーラウンジ。敢えて残したレトロな木造建築の風合いやお布団、鏡台といった和の小物。高級旅館と見違えるほどセンスのよい休憩スペースなど、良い意味で価格とクオリティが釣り合わない宿。ご家族だけで運営する主義で「宿業で世界一を目指したい」と話していた高村さんですが、実際に数年後有名予約サイトの評価がアジア1位になるなど世界的に知られる宿になりました。ところが諸事情によりこの地での営業は2018年12月で終了となってしまいました。閉館は大変残念なニュースでし

たが、2019年12月に山梨県乙女湖で、新たなかたちで「ホトリニテ」を本格再開するとのこと。どんな風に復活するのか、今後の動きにも要注目です。

過去の遺産を上手に
センスよく活用し観光振興につなげる

編集長
の目

2013年にユネスコ世界文化遺産登録も果たし、今や富士山は世界的な観光地。インバウンド人気が高い河口湖周辺に比べると影響は少なめですが、富士五湖のひとつである山中湖界隈も、外国人観光客の増加を柱にここ数年で大きく状況が変わった場所のひとつです。山中湖周辺は、過去別荘地として開発されてきたほか、バブル期にテニスコートつきのホテルやペンションが数多く作られました。

ブームが去り当時の施設が老朽化、経営者の老齢化などの問題が山積するリゾート地の課題先進地域でもあります。古い保養所施設をセンスよくリノベーションし、大規模な設備投資をせずにオーナーのセンスとおもてなし力で人気となった「ホトリニテ」の成功事例は、これから新陳代謝を起こしたい宿泊施設や自治体にとってよき参考例となるのではないでしょうか。

家族とともに飛騨高山の魅力を発信

05 飛騨高山ゲストハウスとまる［岐阜］

横関真吾さん　万都香さん

家族とともに自然体のもてなしで高山を紹介

開放的なラウンジで地元の人も集える宿に

——高山でゲストハウスを始めたきっかけは？

真吾：もともと僕たちはカナダのバンフでツアーガイドをやっていた仲間で、僕は9年ほど現地に在住していて、30歳過ぎで帰国して結婚しました。ふたりとも山が好きで、山の近くに住みたくて八ヶ岳の麓・長野県茅野市で働いていたのですが、ずっと夫婦で一緒に何かやれることを探していて、ゲストハウスという選択肢が浮かびました。

高山は、特に土地勘があったわけではないのですが、やはり海外で働いていた経験もあり、お世話になった海外の方へ恩返しとして「日本らしさ」が残っている場所で日本のよさを案内したい、と。高山はそれに適していると考えて最終的に高山に絞って物件探しをしました。ここまでの流れは「自分たちがやりたいこと、居心地よいこと」をただ実践していたら自然とそうなったので、強い意気込みや気負いのようなものは特になかったんです。

この場所は築70年を越える建物で、元洋装店だったところです。3ヶ月位かけて高山駅から徒歩2分の雰囲気のあるこの場所を見つけて即決しました。入口は全面開放できるようにして、旅行者だけでなく地元の方などにも開かれた場所に、と工夫しています。「とまる」という名称は、ただシンプルに「泊まる」場所だから

横関真吾さん・万都香さん

高山の古い町並は外国の方にも人気

「とまる」。シンプルでわかりやすい名前にしたかったんです。

家族で子育てする幸せが周囲にも好影響

——子育てしながら家族でゲストハウス経営をするメリット・デメリットは?

万都香:家族で一緒に子育てをしたい、という思いがあるので、ゲストハウスをやることで親の仕事ぶりをずっと見て育ってくれるこの環境はメリットのほうが多いです。子供がいるせいかファミリーでのゲストも多くて、安心してくださるのかな、と。宿に息子がいることで、夫婦ふたりでやっていたときよりゲストの方との距離がより縮まった気がしています。

真吾:息子は今2歳なのですが、やはりラウンジで静かにPCを見ている人などがいると少し気を遣います。ただ最近、自分たちの家は近くに別で構えたので、ゲストの方と私たち、お互い気を遣うことが減ってよかったかな。今、若い人

でゲストハウスをやりたい、やっている方も多いですが、年齢層が上がって子育て世代になったときに、自分たちが先駆者としてアドバイスできたらよいな、と思います。

——これからどんな風に宿を発展させていきたいですか?

真吾:僕たちはいわゆるIターンで高山に来たので、地元の方ともっと知り合いたいと月に一度宿でゲストを交えた「ひだマンデー」という集まりを企画したのですが、地元の方同士も意外と接点がなくここで知り合った人も多くて。この場所をゲストと地元の方を繋ぐという役割だけでなく、高山という地域を盛り上げる場所として提供していければ。個人的にはもともとガイド業をやっていたので、今後はそうした方向にも進められたらいいですね。

内容は2014年6月Guesthouse Press Vol.05発行当時のものです

とまる
×
guesthouse ● press

ここをベースに長期滞在するゲストも多い

DATA

飛騨高山ゲストハウスとまる(岐阜)

JR高山駅・バスターミナルより徒歩2分。木工が盛んな飛騨の職人さん特注ベッドで寝心地抜群、アットホームなラウンジの雰囲気も心地よい一人旅からファミリーまで安心して泊まれる宿。駐車場あり 巻末ゲストハウスMAP⑳P116掲載

【住所】〒506-0026 岐阜県高山市花里町6-5
【TEL】0577-62-9260(10:00〜20:00)
【MAIL】info@hidatakayama-guesthouse.com
【URL】http://hidatakayama-guesthouse.com

ここにも行きたい

外国人旅行者も多い飛騨高山。「古い町並」と呼ばれる**三町伝統的建造物群保存地区**や**高山陣屋**などわかりやすい日本情緒と豊富な外国語情報が人気の秘密とか。混雑しやすいエリアを楽しむためには時間帯を工夫、**宮川朝市**や**陣屋前朝市**とあわせて朝や夕方に行ってみては。名物みたらしだんごや**助春**のメンチカツを買って食べ歩きしたあとは、世界一周旅人がオーナーの**カフェクーリエ**や懐かしい雰囲気の **if珈琲店**へ。建築好きなら**吉島家住宅**も必見。秋の紅葉時には**飛騨民俗村・飛騨の里**まで足を伸ばしてみて。郊外の民

芸品と古本の店**やわい屋**で日本の美の出逢いも是非。高山を拠点に日本アルプスの最高傑作**上高地**や**白川郷**へバスで巡るのもおすすめです。

高山の古い町並

―――▷ とまるの今とこれから ―――▷

JR高山駅から徒歩2分という交通至便な場所にもかかわらず、元洋装店の建物は和室や土間、奥に広い全体構造など、日本家屋の特徴がそのまま出ており、ゲストが求める飛騨高山のイメージとも合致する家族経営のあたたかい雰囲気を醸し出しています。夫婦ふたりのゲストハウス経営も、家族が増えるとともにスタッフを入れた複数人体制へとスタイルも変化。2017年には2号店となる古いビルをリノベーションし、広いラウンジや家族対応が可能なベッドルームなどを備えた「とまろっとホステル」も開業させました。また毎月1回続

く交流イベント「ひだマンデー」も開催数67回に。旅人だけでなく、高山への移住者やUターン者同士をつなぐ場としても大きく育っています。

編集長
の目

夏は欧米、冬はアジア圏から。
動きが加速する高山宿事情

外国人が求める「日本らしい風景」と、白川郷などの世界遺産への通過点、長く地元自治体などが海外プロモーションを行い積極的な情報発信をした結果、高山は現在インバウンドの一大拠点として大きな注目を浴びています。高山への観光客の特徴は、来訪客のバラエティの豊かさ。安定した人気の国内旅行者に加え、夏は上高地やアルプスに登山しに訪れる欧米系、冬は雪を見に訪れ

るアジア系のゲストが多く、季節によって来客層が大きく違うそう。小規模なものが多かった高山ゲストハウスも、ここ数年急激なインバウンド熱の高まりから、大型ホステルやホテルが増え、動きが加速しています。カナダで山のガイドをしていた横関さんは、今後は山の情報を強化して登山旅をする人の拠点になる場所にしたいと意気込んでいます。

宗教都市高野山の魅力をあらゆる人に伝える

06 高野山ゲストハウスKokuu［和歌山］

高井良知さん 有里さん

聖地高野山の良さを伝える使命とともに

海外の旅先でひらめいたゲストハウス経営

——どうして高野山にゲストハウスを？

良知：祖父・父・兄が僧侶で、高野山で生まれ育ちました。昔はその環境が息苦しく、大学から山を下りて会社勤めをしていましたが、ずっと「自分で何か新しいことをやりたい」と思っていました。会社を一度退職して旅に出た先、インドのバラナシの安宿に泊まっているとき、突然「そういや、高野山にゲストハウスってないよな」と啓示のように考えが降ってきました。それまで宿の経営をすることはアイデアになかったのですが、高野山には伝統的な宿坊（寺院が運営する宿）はあるけれど、予算や語学の壁があって敷居が高い人も多くいるだろう。ゲストハウスなら、世界中の人たちに、この真言密教の聖地の特別さを知ってもらうよいキッカケになるのでは？ と、帰国後、行動に移しました。

聖と俗が混在する高野山を表現する建築

——Kokuuはゲストハウスとしては珍しい新築の白いインテリア・建築が印象的です

良知：もともとこの場所には築40年の建物が残されていましたが、高野山は古くて歴史的な建造物がゴロゴロある土地柄ですから、中途半端な建造物では勝負したくなかった。いろいろなご縁が繋がって京都の建築ユニットALPHAVILLEさんに設計をお願いし、プライバシーがあって、シンプルで、日本の宿スタイルのひとつの特徴でもある「カプセルホテル」の構造を取り入れたものになりました。建築やイ

さり気なく飾られた生花　ダークシンプルな外観

構造上必要だった梁が「シンプルで日本らしい」と海外の
ゲストに言われることも。右はカプセルの入口

ンテリアが好きだったので、そこにこだわりは
あ…ますが、気取らないスタイルを心がけてい
ます。ゲストハウスならではの共有スペースや
バーには生活感がありますが、それもこうした
宿の良さだと思っています。

導かれて今。現代の「高野聖(こうやひじり)」でありたい

――高野山でゲストハウスをやっていて印象的な
ことはありますか?

有里：まとまった買物をするためには車で往
復2時間かけて麓まで下りなければなら
ないなど、不便なことも多いですが、
やっぱりここは聖地。特別な場所だと
住んでいて感じます。夫婦ふたりでこ
の場所にいられるのは、何か自分たち
の力や意思だけではない、特別な力が働いてい
る気もするんです。

良知：ここにいると、常にお大師さん(弘法大
師空海)の存在を身近に感じます。イギリスに
留学して英語を学んだのも、今思うと、ここで

Kokuu
×
guesthouse ● press

外国の方に高野山のことを伝えるためだったん
じゃないか? と。宿をやって今強く思うのは、
僕たちは現代の高野聖でありたい、というこ
と。過去、僧侶以外に高野山の魅力を伝
える人が全国にいて、それを「高野聖」
と呼んで布教活動をしていましたが、自
分たちは、現代版のその役割がある気が
していて。世界中のひとたちに、真言密
教の聖地、ここ高野山を知ってもらい、長く滞
在してもらって、1200年前に開山した空海とと
もに今もある独特のこの高野山の雰囲気を、少
しでも身近に感じ取ってもらえるお手伝いをこ
れからも続けていきたいですね。

内容は2014年8月Guesthouse Press Vol.06発行当時のものです

弘法大師御廟まで約2km続く奥之院への参道

DATA

高野山ゲストハウスKokuu(コクウ)(和歌山)

古い寺院が立ち並ぶ高野山の中で異彩を放つ、真っ白な
内装が印象的なバー併設のゲストハウス。プライバシー
重視のカプセルベッド8つと個室が2部屋。高野山ケーブ
ルから南海バスに乗り奥の院前バス停より徒歩3分　巻末
ゲストハウスMAP㉘P117掲載

【住所】〒648-0211 和歌山県伊都郡高野町高野山49-43
【TEL】0736-26-7216(8:00〜21:00)
【MAIL】info@koyasanguesthouse.com
【URL】http://koyasanguesthouse.com

高野山は1200年続く真言密教ゆかりの地。中でも**奥之院**は空海の御廟もある一番の聖地。一の橋から御廟まで杉木立の約2kmの道に20万基を超える墓石や祈念碑、慰霊碑の数々が並ぶ様は圧巻。毎朝2回欠かすことなく続けられている「生身供」と呼ばれる儀式は一般の人も見学可能なので是非。**金剛峯寺**で国内最大級の石庭・蟠龍庭を眺めながら**阿字観**（呼吸法・瞑想法）体験するのも忘れずに。休憩時には**濱田屋**の胡麻、葛、水の材料だけで作られた胡麻豆腐をわさび醤油や和三盆糖で店の軒先で食したり、界隈を歩くと見かける**こうやくん**に和みつつ薬局で漢方薬「**大師陀羅尼助**」を買い求めたり。ここにしかない凛とした魅力のまちを楽しんでください。

金剛峯寺と
こうやくん

⯈ Kokuu の今とこれから ⯈

高野山は世界でも稀な宗教都市。特有の事情もあって新規事業の実現は簡単ではありませんが、高井さんは地元の利点も活かし、2012年に唯一のゲストハウスとして開業しました。語学の堪能な良知さんのホスピタリティは、増加が続く欧米系のゲストに特に好評。白を基調にしたスタイリッシュな内装は、何度も建築雑誌に掲載されたほど。Kokuuは構造デザインの面からも時代の先駆者的存在、カプセルスタイルのベッドは今や他でもよく見かけます。最近は、町石道や小辺路などの巡礼の道がある高野山周辺のハイキングガイドを頻繁に行うようになりました。夫婦で子育てをしながらゲストをていねいにもてなす姿勢は、これからも高野山を訪れる人に感動と癒やしを与えてくれることでしょう。

宗教都市高野山を
世界に伝えるメッセンジャー

編集長
の目

世界的に今、宗教巡礼道への旅が見直されています。熊野古道とともにユネスコ世界文化遺産に指定されている高野山を含む紀伊半島の奥地も、多様な国籍の人がわざわざ足を運ぶ場所となりました。外国人が日本に求めるものは人によって違いますが、ZENブームもあって神秘的で瞑想もできる高野山のような聖地は、憧れの視線を持って来る人が多い。高野山に多数ある伝統的な宿坊にも海外から人が殺到していますが、多言語で応えられる施設はまだ限られています。高井さんはそうしたなか、英語で情報提供を熱心に行うなど、彼らの本気のニーズに応える努力を続けています。こうした日本の伝統を多くの人に伝えていく現代の高野聖、メッセンジャーとしての高井さんの活動は、今後さらに重要度が増し、活躍の機会も増えていのではないでしょうか。

山口・萩のまちと人の流れが交わる拠点

07 萩ゲストハウスruco［山口］

塩満直弘さん

人とまちを繋いで、
ふるさと萩をもっとワクワクする場所に

——ゲストハウスをやろうと思ったきっかけは？
実家が萩で、山口の大学を出た後カナダとアメリカに留学しました。その頃からずっと萩で何かしたい！ と思っていました。山口県萩市は、小京都とも呼ばれる歴史ある場所で、土地に愛着がある人が多い。僕も子供の頃、きれいな海で遊んだり、じいちゃんばあちゃんと過ごしたよい記憶がたくさんあり、大好きなまちです。

地元で何を？ と考えたときは迷いましたが、最終的に「自分がやるなら宿屋かな」と思い、まず関東の旅館へ転職しました。自分なりの宿のスタイルを考えていたとき、留学時によく利用したゲストハウスの存在を思い出しました。また、日本

にも"誰がいてもいい"ラウンジがあるゲストハウスを知り、こんな宿なら地元の人も旅人も交流できる場所になる、と思ったのです。

うまく進まなかったことが結果として吉に

——萩にUターンされてからは順調に？
いえ、3ヶ月ほど開業に向けての物件探しをしたのですが、なかなか決まらず……。そんな頃、宿向きではないものの紹介された空き店舗があり、秋本くん(現共同経営者)や知人から「まずはバーから始めてみたら？」とアドバイスされて。それでバーをやることにしました。

思い返すとこの選択がよかったんですね。ひと

つのやり方に執着せず、バーを経営したことで、ある程度資金も増やせましたし、何より地元の知人が増えました。1年ほどした頃にこの古ビルの物件に出会いました。萩の中心部で、アクセスがよいことが決め手でした。その間にずっと一緒にやろうと誘っていた原田くんも家族で萩に戻ってきて、現在は3人で、バーCoenとrucoの運営をしています。

地元の職人とともに作ったこだわりの内外装

——相当凝ったインテリア、ガラス張りの外観がステキです

ゲストハウス併設のバーに通っていたとき、その宿の内装を手がけたデザイナーの東野唯史さんと知り合い、すぐに「萩で宿やることになったらお願いします！」と頼みました。内装の具現化は彼にお任せしましたが、男女ともに好まれるテイストで、多少緊張感もありつつゆったり居心地がよい雰囲気で、とオーダーしました。壁の色を藍色にしてもらったのは海好きな僕のリクエストかな。彼が地元のアーティストや家具職人の方と一緒に萩焼や大漁旗の生地を使った壁面のアイデアを考えたりして、素晴らしいものを作ってくれました。ガラスドアをフルオープン出来るようにしたのは、地元の人も気軽に入れるようにしたかったからです。

——今後の抱負や展開について教えてください

rucoという宿名は、流（る）交（こ）という漢字で、水路のように訪れる人と萩の日常を繋ぎたいという思いから。今は宿とバーの2つの仕掛けで萩と関わっていますが、もっとこのまちを楽しくするために、足りないピースを継ぎ足したい。旅人も地元の人もワクワクする場所として、また、故郷で働きたいという人を増やす指針のような存在になれるとうれしいですね。

内容は2014年10月Gureshouse Press Vol.07発行当時のものです

カフェでは地元萩産の夏みかんサイダーや地ビールも

DATA

萩ゲストハウスruco（山口）

萩バスターミナルより徒歩2分。4階建てのビルの1・2階部分がカフェ、3・4階がゲストハウス。飾られている生花や洗面所の蛇口まで随所にこだわりと遊び心が溢れる宿。巻末ゲストハウスMAP㉟P118掲載

【住所】〒758-0044 山口県萩市唐樋町92
【TEL】0838-21-7435（9:00〜11:00/16:00〜22:00）
【MAIL】hagi@guesthouse-ruco.com
【URL】http://guesthouse-ruco.com/

萩を表現した色鮮やかな壁面 　接客中の塩満さん

藍色の壁が美しいバーカウンター

旧萩城の外側に広がる城下町や吉田松陰ゆかりの史跡、世界遺産の近代産業遺跡も数多くある萩ですが、個人的なおすすめは小さなお店と周辺の自然。**岩川旗店**で大漁旗グッズを見たり、萩焼の伝統を活かし新たな表現に挑戦する**大屋窯**を見学したり。地元民にも大人気の道の駅**萩しーまーと**で新鮮な地魚や特産品夏みかんジュースはいかがでしょう。カルスト台地が広大な**秋吉台**と大規模な鍾乳洞の**秋芳洞**は古くからの国定公園、老舗の風格がすごい。最近海外から人気が出た海へと鳥居が並ぶお隣長門市の**元乃隅神社**や

山手にある**千畳敷**、頂上にぽつんとあるカフェ**カントリーキッチン**も素晴らしいのでぜひ足を運んでみてください。

萩城城下町

⋯▷ ruco の 今 と こ れ か ら ⋯▷

現在は塩満さんとスタッフで運営。開業から5年以上が経った現在、地方都市の空家・空ビルの再生や地域活性化の切り札として、洗練された内外装とあたたかいホスピタリティで大人気となり、遠方から視察者が多く訪れ、地域においてもその存在感は増しています。さらに洋室の個室が新設されるなど、宿の仕様も変化を続けています。また、塩満さんが自治体主催の移住イベントに登壇、近隣に新たにパン屋や美容院ができるなど若者の移住やUターンも増加中。水路のように訪れる人と萩の日常をつなぎたいという思いからつけた

rucoの活動は、枠に囚われない働き方を実践するため、宿の運営だけでなく現在はJR西日本との共同で事業も準備するなど、大きく拡がりをみせています。

萩のまちのハブとして
交流の中心を担う

本州の西端、どの都市圏からも距離がある山口県萩市。市内の古ビルをリノベーションして開業したrucoは今、「地方でもカッコいいゲストハウスってあるんだ、やっていけるんだ」と憧れと羨望の目で見られる場所になりました。「rucoがあるから萩に来る」噂が噂を呼んで聞きつけた人が訪れるようになったのです。その理由のひとつは館内のデザイン。でもそれ以上に塩満さんの人柄による

ところも大きい。「秋が好き！ みんなウェルカム！」という姿勢が徹底していて、彼に会いたいからここに来る、磁場のような存在になっている。どんな思いで運営しているか？ スタッフ全員がその理念を理解して共有しているか？ いいゲストハウスとは、目には見えないそうした想いが、場の空気や雰囲気となって溢れている場所のことではないでしょうか。

長野善光寺門前を彩るまちのコンシェルジュ

08 1166バックパッカーズ ［長野］

イチイチロクロク

飯室織絵さん

まちを楽しくするのは宿の仕事、
きめ細やかに発信し続けたい。

──ゲストハウスをやろうと思ったきっかけは？
宿をやるまでに水族館やホテルで働いたり、カナ
ダの山でガイド、オーストラリアで観光フリー
ペーパーの編集と、いろんな職を経験しました
が、ずっとベースは観光業でやってきました。
そんな20代を経て、今度は自分で食べていくに
は？ と考えたときに出てきたアイデアのひとつ
がゲストハウス経営でした。
自分は、相手にとって役立てる「黒子」のような
存在でありたいと思うタイプなので、観光案内所
のような「情報が媒介する場所」を作りたかった。
一人で運営ができるサイズのゲストハウスをつく
れば、自分らしい発信もできるし、経済的にも

やっていけるのでは？ と考えました。
最初は利便性も考え、長野駅周辺で探していま
したが、その後、ここ門前エリアで空き家を紹介し
ている団体の見学会に参加したのがきっかけで、
2010年10月に開業しました。オープンにあたっ
ては、回収が見込める予算で、自分に合ったサイ
ズ感ということを心がけました。

情報は発信するところに集まる

──門前エリアは最近すてきなカフェや魅力的な
施設が数多く増えました
ローカル情報を発信する小さな出版社があった
り、デザイン的視点でまちを見ている若い人たち

が増えたりしているような気はします。ここが昔からすべての宗派に、男女の別なく開かれた善光寺というお寺を中心に発展した地域ということが、人が集まりやすい理由のひとつなのかも。その伝統が知らないうちに今に伝播して個性的な人が密集する地域になったのかもしれません。

──運営する中で気をつけていることは？

宿に来られる旅行者の方は、食事処や遊ぶ場所など、まちの活きた情報を求めているわけですから、スタッフも外に出ることが大事。できるだけ自分たち自身もまわりのお店にご挨拶したり、お金を落とすよう心がけています。足を運んで交流する中で、自分たちが感じたことや情報を発信し続けると「なんかおもしろそう」という情報が集まってくる。その循環を大切にしています。

クオリティ高く、細く長く続く宿に

──1階のラウンジに人が集まってとても雰囲気がよいですね

物理的にこの近辺は夜遅くまでやっているお店が少ないので、夜はみんな必然的にここに集まる傾向があります。偶然ではありますが、宿をつくるときに、ラウンジを通らないと客室に上がれないつくりになったのはよかったです。ま

た、テーブルを大きくして、「自分が行く理由」がある場所にしたい、と考えました。

外国人と日本人が年間を通すとほぼ半々で、冬はウィンタースポーツをされる外国人の比率が上がります。日本の方では、よくまちづくりに興味があるという若い方が訪ねて来られるのですが、私はあまりまちづくりをしているという意識はなくって。ただ、まちのおもしろいところを発信したり、編集したり、作っていくことはこの土地で宿を営む我々の仕事であるとは思っています。それが自然とまちづくりに関わることになっているのかもしれません。長く続いているまちの歴史に寄り添うように、宿の運営も細く長く、続けていければいいですね。

内容は2015年1月Guesthouse Press Vol.08発行当時のものです

DATA

1166バックパッカーズ（長野）

長野市内、善光寺へ徒歩数分の門前エリアにある古い店舗付き住居を改装したゲストハウス。居心地のよいソファとテーブルがあるラウンジと共同キッチン、細かく網羅されたまちの観光情報が揃う、こだわりときめ細やかさが随所に見られる宿。巻末ゲストハウスMAP⑮P116掲載

【住所】〒380-0842 長野県長野市西町1048
【TEL】026-217-2816(8:00〜11:00/16:00〜22:00)
【MAIL】info@1166bp.com
【URL】https://1166bp.com/

1全国のゲストハウスや周辺情報あふれるフライヤーコーナー 2ラウンジではかわいい操り人形がゲストをお出迎え
3ふかふかお布団がうれしいドミトリーの2段ベッド 4スタッフ推薦のまち情報は信頼度抜群

1166バックパッカーズがある周辺を門前と呼ぶのは、無宗派の単立寺院善光寺が近くにあるから。日の出とともにはじまる**お朝事**に行ったあとは、ぜひ本堂下の暗闇を歩く**お戒壇めぐり**も。門前エリアは最近個性的なカフェやショップも数多く誕生し食の選択肢も豊富。長野名物**おやき**を食べて**TIKU**ーのピザランチ。**八幡屋礒五郎**で自分好みの七味を調合、和洋折衷レトロな**藤屋御本陳**で素敵なティータイム。夜はパスタと自然派ワイン**こまつや**か**門前茶寮 彌生座**でせいろ蒸しはいかがでしょうか。半日時間があれば、バスで1時間

の**戸隠神社**へ。**山口屋**や**うずら家**で戸隠そばも堪能。約2kmの杉並木が続く**奥社**や**鏡池**へのプチハイクは心洗われる体験です。

善光寺山門

----▷ 1166バックパッカーズの今とこれから ----▷

古い民家で宿をやる以上、設備面でのハンデがあるなか、いかに快適に過ごしてもらうかをを常に考え、行動をし続けてきた飯室さん。2名のスタッフは近隣の小売店の仕事も持っており、彼らもまた日常生活のなかでアンテナを張って、ゲストに共有できる情報を細やかに更新しています。英語でのまち歩きの需要も高いため、リクエストに応じて善光寺門前の朝ツアーの開催も行っています。「小路を歩き、寺社仏閣に立ち寄り、途中でお団子やおやきを買ったりしてガイドブックに載っていない長野市を楽しんでもらいたい。」運営10年目を迎えた

今、あらためて原点回帰し、ゲストひとりひとりと丁寧に向き合いその人にあった旅の提案を引き続きやっていくことが大切だと飯室さんは考えています。

旅から暮らしへ。
旅人を移住に繋げる地元案内人

編集長の目

長野市内、善光寺近くの門前エリアは2010年にスタートした地元で不動産業を営む倉石さん主催の「空き家見学会」効果もあり、格安で古い物件を借り、少ない元手でリノベーションしてカフェなどのショップを開業する人が増えました。その数は住居含めて80軒にも及ぶのだとか。ゲストハウスに長期滞在し、何度も訪れるうちに「ここで住みたい、働きたい」と自然な流れで門前暮らしを

選ぶ人が増えています。行政主体のまちづくりとは違う自然発生的な広がりが、移住者を増やすことになったのです。ゲストハウスは「旅行以上、移住未満」の人たちも温かく迎える場所。1166バックパッカーズのように魅力ある地域をより良く、深く知るための移住コンシェルジュのような存在は、まちにとっては大きな財産であると言えるでしょう。

鎌倉材木座でのんびり暮らすように旅を楽しむ

09 ゲストハウス亀時間 [神奈川]

櫻井雅之さん

世界を巡る旅で得た時間感覚と
多様な価値観を、宿を通して鎌倉で伝える

――ゲストハウスを経営するまではどんなことを？
大学を出て、ネパールで半年間日本語教師のボラ
ンティアをしたことがまず外国に大きく触れるこ
とになったきっかけでした。「世界は広い」とその
時実感し、「若いうちに世界を見たい！」と、旅行

資金を貯めるためにサラリーマンをしていました
が、30歳目前でいったん仕事を辞めて、世界一
周の旅に出ました。
アジアからヨーロッパに渡り、アフリカ〜中南
米と思っていたのですが、アフリカ渡航前のギ

リシャで旅資金の一部が盗まれてしまい、計画変更を余儀なくされました。それが今思えばよかったのでしょう。移動型から滞在型の旅になり、南アフリカで友人とカフェを経営してみたり、ジンバブエで8ヶ月間、旅先でハマった楽器「ムビラ」を学んだりした後、日本に帰国しました。アフリカは人間本来の力強さを感じる場所で、文明にどっぷり浸かった日本の価値観とは全く違う意識を得ることができました。

江ノ島と富士山が見える材木座海岸までは宿からすぐ

「旅の経験を活かす」決意と宿経営

帰国後、企業で働きつつ、魅了されたムビラの普及活動を勢いよく始めたのですが、5年続けたところで、「これだけでは食うほどにはやっていけない」という結論に。結婚を機にライフステージが変わりましたが、「この旅の経験をなかったことには出来ない」と、会社勤めの傍らではなく、自分でできる仕事をつくるという方向に意識が変わりました。

それまでは、「自分が旅に出られなくなるから宿業なんて」という考えでしたが、結婚して子供も、となると、あまり多く出歩くことはできない。むしろ自分が動かなくても人が世界中からやってくるゲストハウスをやれば、旅の経験を活かした生業としての仕事が作れるのではないか、と発想の転換が起きたのです。

ゆったりした時間が流れる鎌倉・材木座

──鎌倉で宿をはじめたのはどんな理由が?

現住地が隣町なので、観光地の鎌倉でゲストハウスというのは自然な流れでした。またトランジション・タウンという持続可能なまちづくりを実践する集まりに参加していて、自分の考えに呼応するように仲間が「ゲストハウスやりたい!」と言ったタイミングのよさもありました。鎌倉は歴史のある街ですし、何よりもおもしろい人たちが集まる文化があります。材木座はその中でも海に近く、個人商店が残るゆったりした空気感があるので、自分たちのコンセプト"鎌

亀時間
×
guesthouse ● press

倉の暮らしを亀時間で旅する宿"を体現できると考えました。

──亀時間という宿名がユニークですね

旅をしているときに一番感じたのが「日本の生活は忙しすぎる」ということ。長期の旅をしているときは時間と心の余裕があることが多い。その時間感覚を、エンデの『モモ』からインスピレーションを得た「亀時間」というネーミングに込めています。

ここに来たら余分な情報から切り離されて、気持ちもクリアな状態になって欲しい。歩いて3分の材木座海岸に散歩に行ったり、海外から来た旅行者など多様な人たちとのコミュニケーションを通じて、自分が旅で得たような「気づき」を感じてもらえたらうれしいですね。

内容は2015年3月Guesthouse Press Vol.09発行当時のものです

DATA

ゲストハウス亀時間(神奈川)

鎌倉・材木座海岸に近い築88年の古民家を改装したゲストハウス。旅や食などユニークなテーマのワークショップや、週末にはこだわり食材のカフェやバー「ヨルカメ」を運営するなど、場を活かしたさまざまな活動を行っている。『亀時間 鎌倉の宿から生まれるつながりの環』も好評発売中。巻末ゲストハウスMAP⑨P115掲載

【住所】〒248-0013 神奈川県鎌倉市材木座3-17-21
【TEL】0467-25-1166(8:00〜21:00)
【MAIL】info@kamejikan.com
【URL】https://kamejikan.com/

材木座海岸に近い亀時間に滞在したら、定番鶴岡八幡宮や長谷寺などの観光コースを外してみるのはいかが。海岸へ行く道沿いにあるミルコーヒー&スタンドや穴場のおしゃれスポット材木座テラスで海を見ながらカフェタイム、梵蔵で美味しいそばも是非。あじさい寺と称される明月院や報国寺の竹庭は外国人にも大人気。朝は朝食屋COBAKABAで美味しい定食をいただき、隣の鎌倉市農協連即売所で新鮮な野菜や花をお土産に。カフェの名店ヴィヴモン ディモンシュやカレーも絶品オクシモロン、デザイン性の高さで有名な

スターバックス鎌倉御成町店などカフェ好きにとっては聖地のような場所。いずれも人気なので、混雑を避けて朝や夕方に利用するのがおすすめです。

明月院

⇒ 亀時間の今とこれから ⇒

亀時間は、持続可能な街づくり「トランジション・タウン」の考えをベースに、身近にあるものの価値を再発見しながら、ゆっくり自然体な暮らしを取り戻そうという願いを込めて2011年に開業しました。海外旅から開業までの経緯を綴った櫻井さんによる書籍『亀時間　鎌倉の宿から生まれるつながりの環』は、台湾でも出版されており、スローな暮らしは世界的にも注目されています。宿だけでなく、週末カフェCafe Kamejikanは手作りデンマークパンを中心にしたランチカフェとして、月2回のバータイム「ヨルカメ」は南イ

ンドカレーのmeCURRYを迎えて営業するほか、定期的に近隣のお寺でのヨガや「インド時間」「味噌づくり」などのイベントも行っています。

持続可能な社会を目指し、
スローな時間感覚を貫く

鎌倉は東京からも近く古都の風情と湘南と呼ばれる海沿いの文化がミックスされた独特の雰囲気をもつ土地です。亀時間のある材木座は、駅から少し離れていることもあってゆったりした空気感を感じられます。ここ数年、鎌倉にもアニメ効果もあってかインバウンドの波が押し寄せゲストハウスの数もうなぎ上り、大規模ホステルも増えました。ここの魅力はラッシュアワーのような忙しさをすべ

て断ち切って「亀時間」で動くスローなところ。独自イベントも多く精力的に活動しているのに、何故かゆったりとしてみえるのが不思議です。持続可能な社会を目指す理念を持ちながら、それを押し付けることなく、でも独自のスタンスを貫き続ける営業スタイルは尊敬に値します。ぜひこれからもゆるやかにずっとそこに在り続けてほしいと願う宿です。

沖縄の美しい海を前に、仲間と集う

10 なきじんゲストハウス結家 [沖縄]

日置結子さん

人と人を結び続けて12年、
「おかえり」と迎え続ける宿でありたい

──何故沖縄でゲストハウスを？
学生の頃から演劇や映画といった身体表現芸術に興味があり、社会人になってサーカス団員となり、アクロバット芸などの演者兼司会をしていました。人を楽しませることが好きで、大好きな仕事だったのですが、もっと自分らしい表現を模索している頃、公演先だった沖縄に惚れ込み、住みたい！と思うようになりました。

ずっと旅芸人だった自分が大好きな沖縄に対して何ができて何を返していけるだろう？ 旅人とこの島とのご縁を結びつけることがやりたくて、数年かけて探した結果がゲストハウスだったんで

1 海が見える2〜3名用の個室もある **2** 家族を持ち子育てしながら宿を続ける女将の結ねえ（ゆいねえ）
3 ヘルパースタッフとゲストが一緒にお見送り「またどこかで!」

す。開業当時は沖縄北部にゲストハウスがほとんどなく、「大自然の中で海の前の一軒家」、そんな物件を探したら、なんと一軒目ですぐに運命のように素晴らしい場所が見つかり、2003年に正式オープンしました。

ゲストが主役、宿は心地よい環境を提供

——13年目、長く続いている秘訣は？
結家はゲストが主役で、「いかにゲストがその人らしく過ごせるか？」その環境を整えるのが私の仕事だと思っています。宿を長く続けてこられたのはずっと通ってくださっているゲストさんと私がお互い人生の大きな節目、結婚や出産などを温かく見守りあって、家族のように支えあえてこられたおかげです。
みんな宿で出逢って旅仲間になり、その後帰ってからもご縁が繋がっていて、東京や大阪などで自主的に集まる「○○結び」といった工夫を凝らしたイベントが各地で自由に開催されています。
そこで更にどんどん輪が広がっていって、世界中に親戚が増えていくような感覚になります。

時間と空間を演出、出逢いのきっかけに

——夜の希望者みんなで持ち寄りをシェアして一緒に食べる「おかず交換会」も続いていますね
一人旅でもきっかけができて話をしやすいし、地元で食材を買うことで、村の経済を少し支えられる。同じ空間を共有して共同作業をすると愛だの恋だのも生まれやすいんですよ。その後結婚されたり、産まれたお子さんのお名前に「結」を使う人もいたりして、そういう話を耳にするとなんだかうれしいですね。
——ゲストハウス運営で気をつけていること、今後の抱負を教えてください
開業からずっと私と月替りのヘルパーさんで運営してきて、2015年5月で235代目になります。いつも変わらずここにいる女将の私に加え、ヘルパーさん2人はほぼ1ヶ月限定で来ていただい

宿の中心ゆんたく部屋（くつろぎスペース）からも一面の海が見え、裏庭の広い芝生では子どもを遊ばせたりゴロリと寝転がったりと使い方は自由。さらにその先はビーチへ続く小道が！

結家
×
guesthouse ● press

て、次々に交代してもらっています。仕事がルーティンワークになってしまわないように、そしてゲストさんに常にフレッシュな風を感じていただきたい、という意欲からです。
これから先も私が沖縄の「ねぇねぇ」から「おばぁ」になるまで続けて、ここに帰ってきてくれるみなさまに、この宿で「おかえり」と言い続けていきたいですね。
内容は2015年6月Guesthouse Press Vol.10発行当時のものです

DATA

なきじんゲストハウス結家（沖縄）

沖縄北部、本部半島今帰仁（なきじん）にある海が目の前、ビーチまで30秒の絶景ゲストハウス。共同キッチンやゆんたく部屋からも海を眺められる眺望と、DIYで仕上げた清潔感のある内装、親しみやすい雰囲気が人気の宿。巻末ゲストハウスMAP㊷P119掲載

【住所】〒905-0424 沖縄県国頭郡今帰仁村字仲尾次609
【TEL】090-8827-8024（9:00〜24:00）
【MAIL】musubiya088@yahoo.co.jp
【URL】https://musubiya.co/

結家がある沖縄県北部は、大都市那覇とは違うのんびりした空気が魅力。近くの世界遺産**今帰仁城**はパワースポット。宿の裏手にあるビーチでは装備が揃えば1年中楽しめるシュノーケリングも。**美ら海水族館**は超有名ですが必見。近くの**備瀬のフクギ並木**もノスタルジックな景色でおすすめです。橋で繋がっている**古宇利島**は最近海外からのゲストにも大人気。エメラルドグリーンの海は橋の手前の展望台が個人的には雰囲気もよく、好みです。アグー豚が美味しい居酒屋や沖縄そばの名店**きしもと食堂**と**やちむん喫茶シーサー園**

は外せないスポット。宿近くのスーパーで地元食材を買って、結家名物夕食シェアでゆんたく（宴会）して、お庭で月や満天の星空を眺めたら最高の気分です。

やちむん喫茶
シーサー園

⋯▷ 結家の今とこれから ⋯▷

日本のゲストハウスムーブメントは沖縄から。当時は素泊まり民宿と呼ばれたものから発展していきました。結家は2003年開業、その後同じ地域内での移転を経て現在に至ります。今の場所は土地購入からスタートし、建物の内装はすべて自分たちでDIYしました。宿運営をするなかで生まれた理想の間取り―広いキッチン、目の前に海を一望するゆんたくテラスと子供たちが走り回れる大草原のような芝生があるなどロケーションも最高。夕食をシェアする「おかず交換会」など独特の雰囲気に感動し自らゲストハウス開業を決意する人

も多く、そのリスペクトから名称に◯家と名付ける宿もあるのだとか。女将結ねえが築いた歴史はこれからも広がりながら積み重なっていくことでしょう。

沖縄のゲストハウスの変化とともに歩みながらも変わらぬ文化

編集長
の目

格安の相部屋があり、自由な雰囲気を持つ現在のようなゲストハウスの誕生は1990年代後半に那覇に出来た宿あたりがルーツのひとつとされています。わたしはその頃の宿泊経験がありますが「日本にもこんな場所があったんだ！」とアジアのバックパッカー宿そのままのスタイルが斬新で感動したことを覚えています。沖縄のゲストハウスはその後開業と廃業が繰り返される新陳代謝の多い地域

でしたが、ここ数年LCCの登場もあり近隣アジア諸国から直接沖縄に入る外国人も増え、ゲストハウスやホテル、民泊の数も急上昇中。競争の激しい沖縄で、ずっと「みんなでごはん食べよ」と、人が集まり仲間になる豊かなゲストハウス文化を守り続けているのが結家とその仲間たち。目の前に広がる美しい海と同様、これからも続いていくことを切に願っています。

旅先のスーパーに行ってみる

豪華なホテルでは味わえないゲストハウスのよさのひとつに
キッチンが使えることがあります。この設備を使わないのは
もったいない！ たとえ1泊しかしなくても、まるで地元住民
のように過ごせる秘訣は食の充実。

夕食をレストランや食堂で取らずに、宿のスタッフに地元の
スーパーや商店を教えてもらって、出来合いのお惣菜をいく
つか買ってみるのはどうでしょう？ 日本は広い！ お惣菜売
り場もバラエティ豊か。特に地域密着型のスーパーは近くの
お母さんの手づくりなんてことも多いので、まさに地元の味
です。なかにはおかずの名前が読めない謎の食物があること
も。連泊するときは、お惣菜だけでなく果物やすぐに食べら
れる葉もの野菜を添えて。キッチンがある宿はたいてい基
本調味料なども置かれていますが、ご当地ものの調味料（味
噌や醤油など）をお土産代わりに買って使うのもおすすめで
す。おかずとごはん（レンチンするタイプのものも便利）を
買ってきて、ちゃんとお皿に取り分けて即席みそ汁でもつけ
たらもう立派なディナー！「こんなに食べられない」という
くらいに量や種類を買い過ぎてしまったときは、近くにいる
人におすそ分けしましょう。それがきっかけで話が弾むこと
もよくありますよ！

〈ゲストハウス好きから運営者へ〉
暮らしを紡ぐ宿 えのん
オーナー 中村龍太郎さん

ゲストハウスで人生が劇的に変化

「ゲストハウスで人生が変わった！」という人がいます。もちろん、よい風に。いろいろな価値観で生きる人と出会うことで、人生に新たな展開が生まれる土壌ができるのです。中村龍太郎さんは、ゲストハウスが縁でパートナーと出会って結婚、2人で山口県阿武町に移住し「暮らしを紡ぐ宿 えのん」を開業しました。

もともと都内のオフィスメーカーで設計士として激務をこなしていた中村さん。大学を出て一流企業に入り学生時代からの彼女と婚約、と順風満帆の人生のはずでした。ところが「彼女のためにもお金稼ぐぞ」と頑張った結果、働き過ぎが原因で破談に。傷心旅行にひとりきりでは寂しすぎる、と調べて知ったのが「ゲストハウス」の存在でした。
沖縄のゲストハウスへ2泊3日の初

暮らしを紡ぐ宿 えのん
山口県阿武町、漁師町の風情が残る奈古地区にある古民家を改修したバー併設のゲストハウス

〒759-3622
山口県阿武郡阿武町奈古2691
050-3188-7112（10:00〜21:00）
MAIL
abu.guesthouse.enon@gmail.com
URL
https://abu-guesthouse-enon.com/

ひとり旅。そこで「リヤカーの立ち飲み屋台を引いて自転車で日本一周している人」など、常識に縛られず自由に生きる人生を知り、衝撃を受けました。自分は働き方改革を推進するオフィスをデザインしているはずなのに、自分自身がワークライフバランスを失って幸せになれていないのでは？ 本当の幸せとはなんだろうか……？
その後、東京の旅人が集まるバーで沖縄で出会った仲間と再会、通うようになると芋づる式に楽しい友人が増えていきました。そしてその縁から現在の妻、千穂さんと出会います。彼女も同様の迷いを抱えていて、悩みの少し先を走っている中村さんに惹かれていき、共に人生を歩む決意をしたのでした。

自分を変えた存在に恩返しを

中村さんは評判のよい宿を泊まり歩き、自分のありたい暮らしを考えるなかで、人との縁を繋ぐゲストハウスのよさを再認識、自分を変えてくれた恩返しとして「地方へ移住し自らゲストハウスを運営する構想」を具現化していきます。

2017年「みんなの移住ドラフト会議」イベントに参加した際に山口県阿武町を知ります。イベント後別の土地を検討したものの、物件取得がうまくいかず停滞したことも。そんな折、阿武町に遊びに来たその日に「この家使いますか?」と宿営業ができる物件を勧められたことが決め手となり、移住を決意。阿武町地域おこし協力隊として着任し、併せてゲストハウス開業への道を走り始めました。

1 地域おこし協力隊として近くの阿武町暮らし支援センターshiBanoで勤務することも **2** バースペースは前の住人が整備していたものをそのまま活用 **3** 築100年以上になる古民家の立派な梁

ゲストハウスは縁を繋げる装置

2018年に結婚した千穂さんも仕事を辞め、長野のマスヤゲストハウス（P087参照）へ女将修行へ。古民家の改修にあたっては仲間を多く集め、開業前から200人以上を巻き込み2019年9月、本格オープンにこぎつけました。

宿には「縁が繋がり、恩が循環する。」というコンセプトから縁と恩をローマ字にし、EN＋ON＝ENON＝えのんという名前をつけました。バーも併設し、地域の人もゲストも一緒に阿武町の日常の空気を感じながら、ひとりひとりの暮らしを積み重ねる場所づくりを目指しています。

ゲストハウスという出会いと新たな視点を生む装置を最大限活かし、理想の暮らしに近づく中村さん。そのストーリーは、次の誰かの変化に繋がっていくかもしれません。

地元民しかいない居酒屋やスナックに潜入

ランチはどこでも気軽に食べられても、夕食をどうするか？
は旅の楽しみの大きなポイント。ゲストハウスの旅を楽しむ
コツは、宿のスタッフや常連ゲストの声を最大限活用するこ
と！ ガイドブックに載っていたり、ネットの口コミがたくさ
んある有名店に行くのは安心ですが、ここはひとつ人間力を
使ってみてはいかがでしょうか？

そう、それはスマホ検索をしないということ。人におすすめ
の食事処や居酒屋を聞いて、それを信じて現地に向かうので
す。価格帯やどんなメニューがおすすめかもヒアリングして
おくとさらに安心。ひとりならカウンターのある店が入りや
すいのでいいですね。

勇気を出して扉をガラリと開けて、にこやかに「旅行者で
す！ 初めてです！」という顔をしていると、大将から声を
かけてもらったり、ゲストハウス名を挙げて「ここに泊まっ
てます」なんて話をすると一品サービスしてくれる、なんて
こともあるかもしれません。知らない場所の知らないお店、
最初の一歩を乗り越えたら楽しい時間が待ってます。

さらにもっとディープな夜を過ごしたいなら夜の蝶がいるス
ナックに行く奥の手もあり。知らないまちで夜の店をハシゴ
するなんて、なんとも地元密着？ な過ごし方です。

11 ゲストハウスLAMP ［長野］

ゲストハウスLAMP 支配人 堀田樹さん

本格アウトドアアクティビティと料理を楽しめる
ここにしかない最高のゲストハウスに

──堀田さんがLAMPで支配人になった経緯は？
ここはサンデープラニングアウトドアスクールという40年の歴史を持つ目の前の野尻湖をベースにカヤックや山菜キノコ採りなどを行う宿併設のアウトドア拠点ですが、近年はゲストが固定化している状態でした。そこでスクール創業者の息子で、現在東京のWeb制作会社LIG代表取締役の吉原ゴウを中心に、併設のペンションをゲストハウスに業態変換することになりました。支配人も東京から派遣しようということで、僕が「左遷」※されて、やってくることになりました。

ゲストハウスに業態転換、
試行錯誤の日々

僕は京都の大学を卒業し、福祉施設で介護の仕事をしていたのですが、20代をもっと激しく後悔しないように働きたい！ と、26歳でIT企業へ転職を考え、上京しました。ここの支配人の話が来たとき、純粋に野尻湖とLAMPの可能性を感じてワクワクしたのでノーという答えはなかったです。会社にはサービス業経験者が少なかったので、目をつけられたのかもしれません。
1階レストラン部を大きくリノベーション、館内のインテリアや案内表示、メニュー内容なども変更しました。現在、東京から移住したシェフを

※「左遷」を発表したLIGブログ記事はネットで注目を浴び、
　ゲストハウスLAMPの知名度を飛躍的に上げた

はじめ、事務スタッフやホール、インストラクターなど約10名のスタッフで運営しています。
──着任してからどんな工夫を？
最初は「これはヤバイ」と思いました。宿の見た目はカッコよくはなったけれど、人の流れがあまりなく、空気が動いていないと感じたんです。スクール自体は素晴らしいのですが、宿やレストランは立ち上げたばかりでお客さんが少なく、それぞれの良さを活かしきれていない。
得意のWeb発信だけでなく、地元の人に存在を知ってもらうため、LAMP通信という手作りの新聞折込チラシを配布するアナログな方法も取りました。また、スタッフ全員が自ら創意工夫して運営するマインドに変わって欲しいと、誰よりも一生懸命働いて結果を出そうと頑張りました。
1年でゲストのバラエティも多様化し、ゲストハウスに泊まるのが目的、レストラン来店のみの方も増えて、雰囲気も明るく変わりましたし、運営面もよい変化が続いています。

質を上げながら、カッコよさとおもしろさを追求したい

──これからのLAMPと堀田さんの展望は？
LAMPの様子を見て吉原ゴウが信濃町の可能性をさらに感じ、県と信濃町の助成金で野尻湖畔にLIGのサテライトオフィスをつくりました。僕自身もこの1年で「どこに行っても知り合いがい

る」状態になり、まちの観光案内パンフレットの企画や移住支援などの仕事も受けるようになりました。
この周辺は自然が素晴らしいので、散歩するだけで良さがわかります。今後は無計画な人がふらりと訪ねても楽しめるようなガイドツアーやまち案内など遊びの選択肢も増やしていけたらと考えています。
今、ゲストハウスは各地に増えていますが、「ここはひと味違う」と言われるゲストハウスを目指したいです。料理がうまい、アウトドアのアクティビティも楽しく、スタッフのおもてなしも最高。現在はまだまだな状態ですが、そうなれるようにそれぞれのクオリティを上げていきながら、カッコよさ、おもしろさを追求していきたいですね。

内容は2016年4月Guesthouse Press Vol.11発行当時のものです

DATA

ゲストハウスLAMP野尻湖（長野）
長野県野尻湖畔にあるアウトドアスクールとレストランを併設するゲストハウス。歴史あるペンションを2014年に業態転換。キッズスペースもありファミリーでも楽しめる。
巻末ゲストハウスMAP⒀P115掲載
【住所】〒389-1303 長野県上水内郡信濃町野尻379-2
【TEL】026-258-2978（9:00～19:00）
【MAIL】youkoso＠sundayplanning.com
【URL】http://www.sundayplanning.com/lamp/

❶大きなバーカウンターとソファ、奥には畳スペースもある広い1階レストランラウンジ ❷手書きのLAMP通信 ❸壁や天井もデザインされた館内 ❹ホールスタッフの小林さん ❺オリジナルロゴ入りひょうたんランプ

ここにも行きたい

野尻湖の湖畔に建つLAMP。ここでの楽しみ方はこの立地を活かしたアウトドア体験が一番です。アウトドアスクール併設なので未経験でもカヤックやSUP、スノーシューやきのこ狩りなど、多種多様な遊びを行うツアーを満喫できる。最近屋外で楽しめるフィンランド式のサウナ小屋**The Sauna**が誕生するなど楽しみ方のバリエーションは豊富。お洒落で大人な雰囲気を楽しむなら**野尻湖ホテルエルボスコ**のレストランバーや**サンクゼール・ワイナリー本店**へ。夏にはとうもろこしが道端で売られているのもうれしい。少しマニアックなところでは**黒姫物産センター**地下のそば屋が地元で人気だそう。謎の物産品が多く売られているので気になる人は是非現地で確認してみてください。

黒姫高原からの
野尻湖

LAMPの今とこれから

アウトドアスクール併設のゲストハウスとしてリニューアルに大きく貢献したインタビューに登場した初代支配人に代わり、現在はレストラン料理長として東京から夫婦で移住したマメさんこと岡本共平さんが2016年より2代目支配人を兼任し活躍しています。また2018年よりスタッフとなった野田さんがフィンランド式薪焚きサウナの丸太小屋を建て「The Sauna」としてサウナ営業もスタートしました。もともと社長のご実家というユニークな経緯で東京のWeb制作会社が運営している流れで、近隣に会社のサテライトオフィスも進出。さらにLAMP名で大分豊後大野・長崎壱岐にも進出し、ゲストハウス運営を新たな地域活性化の切り札として地域に提案、経営の幅も広げています。

編集長の目

ゲストハウスに新たな付加価値を提案し続ける

経営が低迷していたアウトドアスクールの併設ロッジを思い切った投資で新たにカッコよく造作し、初代支配人堀田さんと料理長岡本さんが経営改革を行い、アウトドア×ゲストハウスという新たなジャンルをつくったゲストハウスLAMP。アウトドアで遊ぶには、準備する道具や衣服も必要なため、その楽しさを知るまでのハードルが少し高いのが実情ですが、ここは気軽に泊まれるゲストハウスに加え、併設のアウトドアスクールとの協業でその敷居が低く抑えられています。さらにゲストハウス好きの個人ゲストだけでなく、ファミリー層やレストランのみの利用客、都会から一時滞在して仕事をするリモートワーク利用、アウトドアサウナ施設など、新たな使い方を常に提案して顧客を集めているのがLAMP野尻湖の大きな特徴と言えるでしょう。

遊び心を加えて空き家を再生、まちの魅力を発信中

12 尾道ゲストハウスあなごのねどこ[広島]

尾道ゲストハウスあなごのねどこ 寝床長 つるけんたろうさん
NPO法人尾道空き家再生プロジェクト 代表 豊田雅子さん

尾道の古い建物を個性を活かして再生し
まちの新しい魅力を伝えたい

──つるさんは尾道に移住され、『０円で空き家を
もらって東京脱出！』という著書も出されました
が、この宿とはどんな経緯で関わるように？
つる：僕は以前東京で細々と漫画やイラストの仕
事などをしていたのですが、大して芽も出ず、ワ
ンパターンな生活に嫌気が差していました。広島
出身の友人に尾道の空き家への移住話を聞いたの
がきっかけで、2008年に一大決心して移住しま
した。
そのときにお世話になったのがNPO法人尾道空
き家再生プロジェクト（通称：空きP）でした。坂
の多い尾道の斜面地で、法律上建て替えることが
できないために放置された空き家を再生する活動
をしています。自分も古い物件探しをする中で、

眺望のよい可愛らしい洋風古民家を譲渡してもら
えることになりました。当然修理が必要な場所も
多く、DIY作業をしているうちに、同じく空き家
を再生している仲間も増えていきました。

宿づくりは妄想を
かたちにする作業で刺激的

2012年の春、空きPで商店街の空店舗をゲスト
ハウスとして再生することになりました。素朴
なNPOとはいえ活動資金が必要ですので、宿泊
施設をDIYで作り、自分たちで経営しようという
計画です。ところが肝心の宿の店長が見つからな
い。僕が「絵を描ける」という理由で設計・デザ
インなどの担当になり、結局、成り行きでそのま

ま店長まで担当することになり、300日かけて解体工事からDIYで宿を作り上げました。店舗設計もデザインもしたことのない素人の僕が、自分の漫画的な妄想やアイデアをかたちにする作業は、大変でしたがすごく素敵な体験でした。僕が初代「寝床長」で、その後、2015年に2代目の山本くん（やはり移住者）に交代したのですが、彼も空き家を再生して自分のお店を開業することになり、再び一部復帰して時々番台で店番しています。移住してから、0円で家を手に入れたり、そうした体験を漫画として出版することができたり、東京にいた時には想像すらしなかった展開ですが、思い切って移住して流れに任せてよかったなと思っています。

──「あなごのねどこ」という宿名がとても印象的ですが、どんな由来が？

商店街に面したこの建物は全長40mの「うなぎの寝床」と呼ばれる細長い構造が特徴です。建物内部に「通り土間」という細長い廊下、奥に中庭もあります。その特徴と尾道名産の「あなご」をかけてこの名前になりました。

──数々の空き家を再生された豊田さんからみたゲストハウスという存在の魅力とは？

豊田：わたしは尾道出身で、旅行の添乗員をした経験があります。ヨーロッパには歴史的な建物をリノベーションして宿泊施設にしているところも多いんです。イタリアの港町と風景が似ている尾道で、歴史的な建物を使って、若い人でも日本の文化を伝える何かができればと思っていました。ゲストハウスは、その地域の個性やあり方を体現している場所だと思います。ただ快適さを提供するだけではなく、スタッフが地元在住でフレンドリーだったりして、まちの素の状態を見られ、住民と同じ目線でそのまちを楽しめるのが魅力ではないでしょうか。最近、山の上に築100年の別荘建築の建物を改修して「みはらし亭」というゲストハウスもスタートさせました。宿を通して尾道が、記憶に残る場所になってもらえたらいいですね。

内容は2016年7月Guesthouse Press Vol.12発行当時のものです

あなごの
ねどこ
×
guesthouse ● press

DATA

尾道ゲストハウスあなごのねどこ（広島）

広島県尾道市にある尾道駅前商店街の元店舗を改修再生、ドミトリーと飲食施設「あくびカフェー」を併設するゲストハウス。まちを熟知したスタッフと、明かり取り窓や手作りの本棚つきベッドなど遊び心あふれる室内デザインも好評。巻末ゲストハウスMAP 34 P118掲載

【住所】〒722-0035 広島県尾道市土堂2丁目4-9
【TEL】0848-38-1005（16:00〜22:00）
【MAIL】anago@onomichisaisei.com
【URL】http://anago.onomichisaisei.com

1 日本家屋の雰囲気が印象的、中庭に面した縁側 2 くつろげる1階共有スペース 3 瀬戸内海に面し山の斜面に建物が密集する尾道のまちなみ 4 寝床を模した楽しい仕掛けがある玄関デザイン 5 「通り土間」と呼ばれる細長ーい廊下が特徴

尾道の魅力は坂道と路地裏にあり。山の頂上にある**千光寺**へ至る道は猫が住む公園や小さなギャラリーショップが点在し、宝探し気分で歩ける散歩道も整備。あなごのねどこの姉妹店舗のカフェ&ゲストハウス**みはらし亭**で最高の眺望を堪能、魅惑の空き家の行方を妄想。海方向に歩くと元倉庫をリノベーションした**ONOMICHI U2**に到着。**しまなみ海道**を走るサイクリストに最適化した宿泊施設のほか、複数の飲食施設・ベーカリー・ライフスタイルショップと文句なしのラインナップ。目の前に見える向島にある個性的な味とデザインが評判の**USHIO CHOCOLATL**の工場兼ショップへは自転車も載せられる**渡船**を利用して出かけてみてはいかがでしょう。

千光寺

····▷ あ な ご の ね ど こ の 今 と こ れ か ら ····▷

初代と現在の寝床長で漫画家のつるけんたろうさんは、内装デザインを担当、作り込みと運営にも関わっています。自身の体験を漫画エッセイにした『0円で空き家をもらって東京脱出!』という本を出版するなど多方面で活動中。また、運営母体のNPO法人「尾道空き家再生プロジェクト」では2016年から築100年の別荘建築「みはらし亭」も再生、カフェ&ゲストハウスとして運営しています。風光明媚な環境を活かしたライターインレジデンスや、建築家と一緒にまち歩きをする建築塾、空き家再生の現場作業を体験する合宿なども開催、併設の「あくびカフェー」やシェアハウスの運営など、活動の幅は多岐に渡り、今やまちへの影響力も大きなものになっています。

尾道の風景を変えた
NPO運営の屋台骨を支える存在

ゲストハウスあなごのねどこは、先に商店街内の大きな空き物件があり、活用法を考えるアイデアから生まれました。その運営は現在NPO法人の活動を大きく支える屋台骨になっています。「空きP」代表の豊田さんの飄々とした表情のその奥にあるのは、故郷尾道の風景への熱い思い。多くの芸術家にも愛される坂の多いまちと家を残して活用するための活動が、「おもしろそう」と旅人だけでなく最終的に移住者も増加。地域支援にもつながっています。また、尾道には他にも尾道自由大学、ONOMICHI U2やスタイリッシュなホテルを運営する地元企業、しまなみ海道の入口として自転車文化の普及を目指す団体など、いろんな業態のプレイヤーがいて層が厚いのも特徴のひとつ。複数レイヤーで地域の魅力を多くの人に伝えているのも強みです。

Guest
House
Pongyi
素泊りの小さなお宿 ポンギー
one night stay
¥3000～
TEL 076-225-7369
Check in 15:00-21:00
Check out ～10:00
CLOSE 12:00-15:00
Joy & Peace
to All

金沢の町家で体験するハートフルな国際交流

13 ゲストハウスPongyi（ポンギー）［石川］

ゲストハウスPongyi
オーナー 横川雅喜さん スタッフ 大山京子さん

ゲストもスタッフも支援先にも
幸せの循環が巡るゲストハウスでありたい

──金沢でゲストハウスをはじめた経緯は？
横川：幼少期を親の仕事の関係で南米で過ごし、帰国後も大学時代にブラジル留学を経験して、将来は海外と繋がる仕事をしたいと思っていました。15年間都銀に勤務し、海外駐在や政府開発援助（ODA）にも関わり、充実した日々を送っていました。が、銀行合併の折りに自分を見つめなおす機会が生まれ、銀行を退社。その後知人と会社を運営したものの上手くいかず、経済的にも精神的にもどん底になりました。
そんなとき、日本人でミャンマー僧侶になったガユーナ・セアロ師の「セアロ108の言葉」という本を読んで感銘を受け、同師の計らいで数ヶ月間だ

けですがミャンマーで僧侶体験をしました。そこで奉仕の精神を学び、自分の歩む道を見つけたのです。ゲストハウス名のポンギーとはミャンマー語で「お坊さん」という意味です。
帰国後、手伝っていたアジア支援のNPOの拠点が石川に移り、それがきっかけで東京から移住しました。その頃から「自分の力で稼いでいこう」とは思っていましたが、ゲストハウスをすると決めたのは直感でした。宿の物件探しをするとすぐに駅からも近いこの町家が見つかり、そのまま金沢初のゲストハウスになったのが2009年のことです。
それから7年、当初は1人で全て運営していまし

たが、2012年から"まる"こと大山京子と他1名の3人、現在は2名の少数精鋭で「利益はできるだけアジアの人たちの自立支援など、他に貢献することに還元する」という理念で営業を続けています。

奉仕の心を宿の業務で実現

──大山さんは何故スタッフに？

大山：もともとアジア支援のNPOで働いていたのですが、当時からポンギーの「宿泊代の一部をNPOへ寄付する活動」を素晴らしいなと思っていました。スタッフを希望したのもその理由で、今は自分のやりたいことが実現できている実感があります。ポンギーではできる・できないより「どんな心で仕事をするか？」を一番大事にしています。英語やPC業務が苦手な私にとって大変なことも多いのですが、「本当の自分で生きていきたい！」と願う私にはぴったりの職場です。

──宿のこだわりポイントと今後の抱負を教えてください

横川：ポンギーは定員10名の小さな宿です。その中で国境、年齢、性別関係なくゲストのみなさんが家族のようにリラックスして滞在して頂き、いつでもまた「ただいま！」と帰ってきたくなるような宿であるよう心がけています。

Pongyi
×
guesthouse ⌂ press

そのために毎日可能な限り布団を天日干しにし、マットレスにもこだわって、寝心地の良さを大切にしています。また、せっかく金沢の町家を選んでくださったのですから、書道や抹茶作り、折り鶴などの日本らしい体験をしていただく時間も作っています。

スタッフがハッピーに働き、それによってゲストもハッピーになり、利益を支援に還元することで支援を受ける人も幸せになるというサイクルの場でありたいと思っています。これからもゲストひとりひとりに意識を向け、心を込めて営業を続けていきたいですね。

内容は2016年9月Guesthouse Press Vol.13発行当時のものです

DATA

ゲストハウスPongyi（ポンギー）（石川）
金沢駅から徒歩7分、築100年の元呉服屋だった町家を改修、鞍月用水沿いに建つゲストハウス。海外から絶賛の口コミが絶えない心のこもったさりげないサービスが評判のアットホームな宿。巻末ゲストハウスMAP㉑P116掲載
【住所】〒920-0868　石川県金沢市六枚町2-22
【TEL】076-225-7369（9:00〜12:00/15:00〜21:00）
【MAIL】mail@pongyi.com
【URL】https://pongyi.com/

1 小さな用水の橋向こうにある玄関 2 ミャンマーで頂いた貴重な仏像 3 古い蔵を利用した急な階段 4 1階くつろぎスペース 5 寝心地重視のドミトリー 6 自然と会話が生まれる和室ラウンジ 7 「常に奉仕の心で」を実践する横川さん

金沢観光の玄関口JR金沢駅の巨大木製モニュメントにご挨拶を済ませたらまずは腹ごしらえ。廻らない寿司屋**寿司寅**やローカルな雰囲気を味わう**近江町市場**へ。**金沢21世紀美術館**は現代アートを身近に感じる好スポット。日本庭園**兼六園**で幽玄の美に触れたあとは**香林坊**のセンス溢れる生活品**WHOLE**や**The Godburger**のハンバーガーを味わいつつ川沿いの散歩などいかがでしょう。**ひがし茶屋街**は金箔グッズなどのお土産購入にも最適。遠出するなら**五箇山合掌の里**で日本の原風景に触れるか、砂浜を乗用車で走

れる**千里浜なぎさドライブウェイ**をドライブ、鉄道なら七尾線に乗って和倉温泉経由で**のとじま水族館**に足を伸ばすのもおすすめです。

ひがし茶屋街

⎯▷ Pongyiの今とこれから ⎯▷

元呉服屋のとても小さな日本家屋の宿で、金沢で一番古いゲストハウスです。ドミトリーは土蔵を利用しており、その味わいを求めてわざわざ高級ホテルから泊まりに来る外国人もおられるそう。折り鶴、書道、鍋など日本文化を体験できるプチアクティビティを毎晩のように開催、スタッフがゲスト同士を紹介して交流しやすい雰囲気をつくっています。オーナー横川さんの「ゲストにハートで寄り添い、心からの笑顔を大切にする」という考え方が浸透、きめ細やかな対応でリピーターも多数。10周年を迎えた2019年秋から、新たににいな

さんが女将となりました。宿泊代の中からアジアの子供たち支援の寄付をし、幸せの循環が起こる。ゲストハウスの原点のような宿がポンギーです。

まちの変化にとらわれず
変わらぬスタンスで愛ある経営を行う

金沢は、ここ数年で外国人観光客が激増し、宿を取り巻く環境も大きく変化しました。最大の要因は北陸新幹線の開通ですが、ただ交通機関が便利になったからだけでなく、兼六園などの日本情緒あふれる昔からの観光名所に加え、金沢21世紀美術館のような古い歴史や文化には興味がない層にもヒットする魅力的なコンテンツがあったからだと思われます。宿泊施設の急増で環境

変化の激しい金沢ですが、ポンギーは開業当時から営業のスタンスを変えず、オーナーの横川さんを中心に「何をゲストに提供できるか？ を常に考え行動する」本質を見据えた運営を続けています。アジアの子どもたちへの支援を続けることで幸せのサイクルをつくるというポンギーの考え方は、競争社会の中でより光り輝く宝箱のような存在といえるでしょう。

岡山の下町商店街にキラリ輝く文化の発信地

14 とりいくぐるGuesthouse & Lounge ［岡山］

とりいくぐるGuesthouse & Lounge
明石健治さん（左） 野口明生さん（右）

ゲストハウスと複合施設でまちの文化を再構築

——とりいくぐるを開業した経緯は？

明石：もともと野口さんとは鳥取にあるゲストハウス「たみ」の改修作業やオープニングパーティを通じて知り合ったのですが、同じく関わっていた建築家の方から「岡山駅の近くにある奉還町商店街にこんな物件あるよ」と、かつて精肉店だった築60年以上の建物改築と運営を提案されました。2人ともたまたま当時手が空いていたので、複合施設「NAWATE」という名称で、事務所や雑貨屋などのテナントを入れて運営し、その主な施設としてゲストハウスをつくることになりました。

野口：2人ともここをやるまでゲストハウスに泊まったことがほとんどなかったのですが、会って数回目で一緒に運営することを決めました。とりいくぐるの名称は、当然そこに目立つ鳥居があったからですが、ゲストハウスを知らないからこそ、あまりそれっぽい名前ではないものを、という意識はありました。

最近、自分たちもゲストハウスを開業したい人からの質問をよく受けるようになりましたが、みんな物件探しに苦労しているので、こうした話があって、流れでやることになった僕たちはすごくラッキーだったと思います。

宿の基本を怠らず、クオリティの高い運営を追求

——この宿の特徴や強みは？

野口：お客さんの幅が広いところでしょうか。自分たちがバックパッカーじゃなかったからこそ、ゲストハウスのファンだけでなく、いろんな人に来てもらいたかったので、それが今のところ出来ているのはうれしいですね。

明石：トータルで「また来たい」と思ってもらえるように、クオリティを保つことは大事にしています。掃除がしっかりできているか、ふとんが気持ち良いか、サイトがわかりやすいか？など、宿としての基本的な部分はきちんと押さえたうえで、ちゃんと地元の案内もできる人がいるなどコミュニケーションの質も保つ。素人からスタートしていますが、だからこそプロ意識をきちんと持って対応したい。

2015年には組織も合同会社化し、新たに徒歩2分の同じ商店街内に、「奉還町4丁目ラウンジ・カド」というカフェラウンジもつくりました。そこではとりいくぐるではできなかった大人数でのイベントなども可能なので、カドがあることによって、より一層地元の人と宿泊者をつなぐ、まちの入口ガイド役的な要素も担っていけ

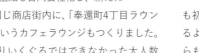

とりいくぐる × guesthouse ● press

ると考えています。

——これから先、どのように運営していきたいですか？

野口：実は諸事情により僕自身は2016年末で経営全般から手を引くことになりました。残念な気持ちもありますが、これからも明石がとりいくぐるをリードしてくれるので安心です。

明石：最近はどんどん岡山周辺にもゲストハウスが増えてきました。とりいくぐるは2013年開業、自分たちも先輩にあたることが増えてきて身が引き締まる思いですが、何度も通ってくれるリピーターも初めて泊まる人も、どちらも楽しんでもらえるよう、スタッフも新陳代謝しながら、これからも開店当初からお世話になっている商店街の人たちと一緒に奉還町を盛り上げていきたいですね。

内容は2017年2月Guesthouse Press Vol.14発行当時のものです

DATA

とりいくぐるGuesthouse & Lounge（岡山）

岡山駅西口から徒歩13分、奉還町商店街のアーケードを抜けた先、古くからの下町の雰囲気が色濃い中にある宿の入口にある赤い鳥居が目印のゲストハウス。岡山近辺のアートやイベント情報も集結、1泊するだけで住んでいるように落ち着いた気分になれる宿。巻末ゲストハウスMAP㉜P118掲載

【住所】〒700-0026 岡山県岡山市北区奉還町4丁目7-15 NAWATE内
【TEL】086-250-2629（8:00～11:00/16:00～22:00）
【MAIL】info@toriikuguru.com
【URL】http://toriikuguru.com/

①玄関の真ん中に赤い鳥居がそびえる個性的な外観 ②1階の共有スペースはキッチンもあり使いやすい ③奉還町4丁目ラウンジ・カド ④古い建物と感じさせない清潔感漂う館内 ⑤玄関から建物を突き抜け、奥に抜けられる構造

JR岡山駅から**おかでん**に乗って城下駅へ。**岡山城**と隣接する日本三名園のひとつ**後楽園**で江戸時代から続く日本の美を堪能したあとは、古い町並が残る出石町をそぞろ歩いて**cafe moyau**で美味しい定食などはいかがでしょう。来館者数連続日本一の**岡山県立図書館**を見学、地元ゆかりの書物に触れてローカル気分を堪能。足を伸ばして瀬戸内海方面へ。美術館と芸術祭で有名になった**直島**や**豊島**行きの船が発着する宇野港周辺にはセンスある小さなお店も増加中。**bollard**の雑貨で目の保養、**歩々**でパンを買って。

アートな島で穴場なのが**犬島精錬所美術館**。宿がある**奉還町商店街**の長いアーケードにもおもしろいお店がたくさんあるのでチェックしてみてください。

犬島精錬所
美術館

⋯▷ とりいくぐるの今とこれから ⋯▷

奉還町商店街のはずれにある元精肉店と作業場の大きな空間。当初は徒歩15分近くかかる場所に宿なんて需要あるのか? と半信半疑だった人たちもいました。開業後、通りに人の流れが増え、若いオーナー2人が地域行事にも参加し関係性を深めた結果、2016年には近くの空店舗も「奉還町4丁目ラウンジ・カド」というイベントカフェスペースとして運営するなど活動の幅も広がっています。「ここに来たら情報が得られる」と、多くの旅人と中国地方で活動するクリエイターなどを繋ぐ役割も担うようにもなりました。現在は明石健治さん

がスタッフとともに運営を切り盛りしています。2018年には元アパートを改装したコンドミニアムタイプのANNEXも仲間入り、家族連れゲストなどに好評です。

若者主体のプロジェクトで
商店街振興と宿泊客増加を実現

岡山市は人口70万人の政令指定都市ですが、観光地としては姫路や倉敷、尾道などの有名どころに挟まれ、特に海外からのゲストに素通りされがちな状況が続いていました。「とりいくぐる」は、12で紹介した尾道空き家再生プロジェクトにも関わる地元建築士さんとのご縁のなかで生まれました。開業当時はゲストハウスをつくって外国人を含む観光客を呼ぶ事業は理解を得にくい状況で

したが、その後アート感覚に優れた感度の高い旅人が鋭い嗅覚で「おもしろそう」と訪問するようになり、さらに最近は瀬戸内国際芸術祭の盛況で島巡りをする人が増えたことで、現在では岡山に宿泊する観光客もぐっと増えました。「とりいくぐる」は、商店街振興と観光資源の開発の両輪がうまく噛み合い、成功したひとつの事例といえるでしょう。

15

センスよく親しみやすい大阪のデザイン文化を体感

HOSTEL 64 Osaka ［大阪］

HOSTEL 64 Osaka　マネージャー 田端亮介さん

建築リノベーションの可能性とカッコよさを
デザインし、表現し続けるゲストハウス

──2010年開業でこの春7周年ですが、どのような経緯でつくられたのですか？

ここはアートアンドクラフトというリノベーション中心の建築デザイン事務所が母体となっていて、社長の中谷ノボルの「カッコいいけど手頃に泊まれる宿泊施設をつくろう」という声からはじまりました。当時は誰も宿泊業に参入するとは思っていなかったので、社内で反対の声も多かったようです。その後、この場所に決まるまで約300軒探しまわり、立地より物件そのものの魅力を重視した結果、市内中心部でビルやマンションが立ち並ぶ西区の1964年築の元工具メーカーの事務所と社員寮だったビル物件に巡り合い、ここ

で運営することになりました。

まだリノベーションに対する理解やホステル自体も少ない時代で、役所もビルの宿泊施設への用途変更は初めてのケース。お互い手探りで手続きを

確認しあったり、近隣の住民の方に説明会を開いて理解を得たりなど、苦労もあったようです。今はゲストらしき外国人が歩いているとわざわざ親切に連れてきてくれるなど、ご近所さんとの関係も良好でありがたい限りです。

宿でライフスタイルを提案

——宿としてこだわっていることは？

ここはもちろん宿泊者に心地よく滞在してもらうことが一番ですが、会社としてはリノベーションの可能性を見せるショールームという要素もあります。「お金をかけずにここまでできる」という、家具選びやデザインの可能性を見せたい。住まいと旅はライフスタイルを表現するという意味で共通する部分があるので、ホステルというハコを使ってそれができるのはわかりやすい。宿のインテリアも、時代にあわせて少しずつ変化させたり、ドミトリーも2段ベッドではなく個室風に広めに取っていたりと、常識にとらわれずにカッコよさを具現化して見せることにはこだわっています。

——田端さんはどんな経緯でマネージャーに？

マネージャーは僕で3人目となるのですが、2人目の女性が産休に入るタイミングで入社しました。以前は旅行会社で企画営業する会社員で、退職して1年半妻と共に世界一周の旅に出ていました。帰国後、偶然社員募集のWeb記事を見て応募したのがきっかけです。旅に関わる仕事をしたいと考えていたので、本当にラッキーなタイミングでした。入社してわりとすぐにマネージャーになり、今5年目。2015年オープンした沖縄のスパイスモーテルの仕事も兼務しています。僕以外のスタッフも人事異動で建築リノベーション部門と入れ替わったり、子供が産まれたスタッフには子育てシフトをつくったり、フレキシブルで働きやすいので、長く勤めるスタッフも多いです。

——これから力を入れたいことは？

可能性としては別館をつくるなど違うスタイルの宿もあるかもしれません。また、スタッフ全員関西出身でいろんな情報を持っているという強みも活かして、HANGOUT 64 Osakaというオリジナルな周辺情報をまとめた地元のデザインMAPも制作しました。大阪の音楽やアートシーンとの自然なつながりでイベントを開催することもあります。今後もそうしたデザイン感覚を活かしたロクヨンならではのカッコよさとオリジナリティを追求し続けていきたいですね。

内容は2017年4月Guesthouse Press Vol.15発行当時のものです

DATA

HOSTEL 64 Osaka（ホステルロクヨンオオサカ）（大阪）

大阪市内西区のビジネス街にある1964年築のレトロビルをリノベーションし、建築デザイン事務所自らが運営するゲストハウス。デザイン感覚と遊び心が溢れる内装は情報感度の高い旅行者に特に高い支持を受けていた。2019年春に惜しまれながらHOSTEL64としての営業はクローズ。現在は元スタッフが施設を引き継ぎ「FON-SU bed & breakfast」として名称を変え営業中。

1 ビルの2階にあるリビングスペース。共有エリアが広く使いやすい **2** スタッフのみなさんは気さくで明るい **3** セミダブルベッドが置かれた広いドミトリー **4** のれんを使い個室風に仕切る **5** 昭和レトロ風のクールなカフェ&バーエリア

大阪といえばコテコテギラギラ**道頓堀**のネオンや**通天閣**周辺が有名ですが、もうひとつ特徴的なのが**芝川ビル**をはじめ、昭和初期のレトロビルが今も街中で活躍するクールな一面。秋にはビル開きイベント（通称**イケフェス**）も開催しています。中之島にある**大阪市中央公会堂**は内部も素晴らしい。川からまちを巡る**御舟かもめ**の多彩なクルーズプログラムは秀逸。大阪はグルメ派には胃袋がいくつあっても足りないまち。最近話題の大阪スパイスカレーは名店多数、ビブグルマンにも掲載の**Colombia8**は宿から近いのでまずはお試し

を。世界有数の水族館の**海遊館**は静かに鑑賞できる夜の訪問をおすすめします。時間があれば万博記念公園の**太陽の塔**見学も是非。

太陽の塔

⋯▷ HOSTEL 64 の 今 と こ れ か ら ⋯▷

古い建物を新しく生まれ変わらせるという意味の「リノベーション」という言葉が普及する前から、建物の用途変更を行い新たな価値を付加する事業を行っていた建築デザイン会社が運営。都会の古ビルをスタイリッシュに仕上げてゲストハウスにするという業態自体を生み出したいわゆるデザインホステルの先駆けのひとつといえます。運営スタッフは大阪のアート・クラブや音楽カルチャーとも繋がりが深い地元民も多く、通り一遍の観光では味わえないふだん着の大阪を知り得るのもここの大きな利点でした。2019年春、会社業務

の再編によりクローズしましたが、現在名称を変えたものの元スタッフがそのまま引き継ぎ、朝食付きの宿として運営を続けられているのはうれしいところです。

古ビルに付加価値をつける
デザインホステルの先駆的存在

編集長の目

早い時期から「ホテルより気軽に泊まれるカッコいい宿」としてデザインホステルを作り上げ、その後沖縄で古いモーテルを利用したSPICE MOTELというホテルも作った建築と不動産を扱う会社アートアンドクラフト。現在は、特に大阪で発展している特区民泊を利用した古ビルや住居、倉庫跡を利用した宿運営のプロデュースを行うなど、リノベーションが生むまち活性化の仕組

みを多くの人に届けたいと活動中です。京都同様に毎日多くの外国人観光客が訪れるようになった大阪のまち。HOSTEL 64は地元民しか知らないようなディープな情報を発信する貴重な存在でした。会社としては宿の運営から退きましたが、常に新たな価値を世の中に生み出し続けているアートアンドクラフトの活動には引き続き要注目です。

16 名古屋の老舗喫茶店を活用した旅の中継基地
喫茶、食堂、民宿。西アサヒ［愛知］

喫茶、食堂、民宿。西アサヒ オーナー
株式会社ツーリズムデザイナーズ代表　田尾大介さん

多様な文化が混じり合う社会を
ゲストハウスと旅行会社で実現

――田尾さんが名古屋でゲストハウス運営することになった経緯は？

出身は山口県で大学進学で大阪へ。卒業後は旅行会社でインバウンド対応の部署に配属され、そこで初めて海外との接点を持ちました。3年ほど勤めましたが、大企業の仕事スタイルの限界も感じて退職。これからは英語と経営のノウハウが必要だと実感したので、25歳でオーストラリアに留学し、その後アメリカに渡ってマーケティングを学びました。

2年半の海外生活でいろいろな国の人と交流するなかで、"日本人しかいない日本"は、グローバルじゃないのでは？　日本ももっといろんな国の文化が混じり合う社会になって欲しい、と思うようになりました。

勤め人ではなく、いつか自分で何かや

りたいと思っていましたが、どうしていいか経営の理論を「わかる」ことと「できる」ことは違います。もっと実務を勉強したくなり、帰国後、名古屋に来て、日本の経営大学院で働きながらMBAも取り、教えるまでになりました。

2013年にいよいよ起業、まずは旅行会社をスタートさせ、訪日外国人向けに着地型観光と呼ばれる現地ツアーの企画・運営を行いました。その流れの中で、ここ円頓寺商店街で惜しまれながら閉店した老舗喫茶店「西アサヒ」の活用法を探る方たちとの縁が出来、2階をゲストハウス、1階部分をかつての名物メニュー「タマゴサンド」を再び出す喫茶・食堂の複合施設として2015年4月にオープンすることが出来ました。自然な流れで名古屋に来ることになりましたが、都市の規模的に居心地がちょうどよく、自分のペースでゆったり暮らせるまちで気に入っています。

インバウンドで地域を盛り上げる

──開業して2年、成果と課題、将来展望について教えてください

紆余曲折ありましたが、想像していた以上に、商店街をはじめ地域の方たちから応援してもらい、国内外からゲストも多く来ていただきありがたい限りです。僕たちはインバウンド中心の旅行会社やゲストハウスをやっていますが、外国人相手の商売をしたいわけではなく、円頓寺商店街、そして名古屋に国内外の観光客を惹きつけることで、地域を盛り上げたいと思って活動しています。

西アサヒ
×
guesthouse ● press

現在、僕以外に3名の社員と約20名のスタッフで運営していますが、今後は西アサヒの存在をベースに、「何かやりたい」若者にチャンスが多くあるような仕組みを作りたいです。宿のチェーン展開ではなく、宿という一点だけの存在から、商店街、名古屋圏、中部といった大きなくくりの地域を盛り上げるために、そのツールとして旅行プログラムや新たな施設を作りたい。人と文化をつないでいくことで、豊かな社会につながっていけばうれしいですね。

内容は2017年6月 Guesthouse Press Vol.16
発行当時のものです

DATA

喫茶、食堂、民宿。なごのや（旧名西アサヒ）（愛知）

名古屋駅から徒歩20分、地下鉄国際センター／丸の内駅徒歩5分、円頓寺商店街の中にある喫茶・食堂兼ゲストハウス。緑が美しい中庭とレトロな内装を活かし、地元の人に親しまれた老舗喫茶店「西アサヒ」を復活、新たに2階にドミトリーと和室の個室を備え、英語対応の現地ツアーの手配も行う。巻末ゲストハウスMAP24 P117掲載

【住所】〒451-0042 愛知県名古屋市西区那古野1-6-13
【TEL】052-551-6800（8:00～22:00）
【MAIL】info@nagonoya.com
【URL】https://nagonoya.com/

1レトロ感を程よく残した落ち着いた喫茶空間 2商店街のアーケード内で目立つ英語の縦看板 3田尾さん（左端）と女将の伊熊志保さん（右端）を中心に女性多めのスタッフ陣 4カプセルタイプのドミトリー 5水回りは清潔感漂う白で統一 6田尾さんが厨房を担当することも 7名物タマゴサンド

なぜか商店街交差点に徳川家康などの肖像があって驚く**円頓寺商店街**は、昔ながらの雰囲気と新しい息吹が混じり合った楽しい空間。商店街の裏路地は**四間道**という古いまちなみが残っていて**日仏食堂 en**など古民家利用のレストランもあります。夜は近くなら**凡才**でおでんか**ベトナム屋台食堂saigon2**でアジアなバックパッカー気分か、はたまた市内各所にある手羽先の店**世界の山ちゃん**や**ひつまぶし備長**のような定番で攻めるか。市内でもうひとつ下町情緒を感じるのが**大須観音**周辺。喫茶**コンパル**でエビフライサンドを食べた

ら地元民気分？**トヨタ産業技術記念館**と**ノリタケの森**どちらも有名ですが、学んでくつろげるスポットでおすすめです。

四間道のまちなみ

▷ 西アサヒの今とこれから ▷

円頓寺商店街で昭和7年から続いた老舗喫茶店「西アサヒ」閉店後、その文化を新たに継承する目的で、2階にゲストハウスを併設する喫茶食堂として生まれ変わりました。2018年に那古野という地名にちなんだ「なごのや」に変更しましたが、名物タマゴサンドをはじめ中身は変わらず営業を続けています。老舗が多い円頓寺商店街も新陳代謝が進み、2018年には徒歩2分の場所に市の登録地域建造物資産を改装した「なごのや別館」も完成。キッチンや広いラウンジもあり宿選びの選択肢が増えました。名古屋起点のインバウ

ンドツアー会社も経営する田尾さんは「ゲストハウスは事例の宝庫。ゲストの生の声をどんどん活かして宿もツアーもよいものにしたい」と意気込んでいます。

名古屋の老舗商店街から世界へ
人をつなぐ文化を発信

「人と文化の出会いをデザインする」をモットーにツアー会社経営やMBAスクール講師などのキャリアと実績を積み重ねてきた田尾さん。宿がある円頓寺商店街の活性化にも大いに寄与し、頼られる存在となっています。田尾さんの素晴らしいところは、多忙な身にもかかわらず、今でも喫茶店のシフトなど現場に立っていること。利用者の声を直にヒアリングすることで、何が求められている

のか？を観察し、それを自らのツアー会社や宿やスクール事業に活かしているのです。「なごのや」は現在、商店街との共同企画も含め、イベントやライブなども活発に行う名古屋のゲストハウスにおける中心的情報発信拠点となっています。宿を通して多くのビジネスとまちの活性化の可能性を感じさせてくれる場所です。

17

歴史が残る商店街であたらしい熱海を味わいつくす

guest house MARUYA ［静岡］

株式会社machimori　guest house MARUYA
代表・オーナー 市来広一郎さん　マネージャー 渡辺大記さん

熱海のまちで、都会の人の
暮らしと日常をよりよくしたい

―熱海出身の市来さんがUターンした理由は？
市来：僕は企業の保養所の管理人をしている両親の下、常にお客さんがいる環境で育ちました。1990年代頃までは熱海も元気でしたが、バブル崩壊を機に下降線に。保養所もなくなり、僕は東京の大学に進学し、都内の企業で働いていました。が、どうにも地元のことが気になって仕方がない。熱海はもともと祭りも盛んで飲み屋も多く、清濁併せ飲むような人間的な "匂い" があるところが魅力ですが、潰れたホテルが味気ないリゾートマンションになる様子を見ていると、そんな「熱海っぽさ」がなくなっていくのがいたたま

れなく、事業プランはなかったのですが、3年半で会社を退職し、Uターンしてきました。
熱海をなんとかしたいという思いだけで、何から手をつけてよいかわかりませんでしたが、まちの人を取材しているうちに、何をしていくべきかが少しずつ見えてきました。当時の熱海は、観光客が減って住民も元気がなくなっていました。ですからまずは「地元の人が地元を好きになるため」の「オンたま（熱海温泉玉手箱）」というイベントを企画、「昔ながらのこだわり喫茶店巡り」など3年で220種類位、思いつく限りやりました。1年後「熱海が好き」という住民が増え、まちの人

が地元の良さを再発見することで、シビックプライド（市民の誇り）を取り戻しつつある、と手応えを感じたのですが、ただこの事業だけでは、どうにも利益がでない。次の一手を考える必要がありました。

──ゲストハウス開業までの経緯は？

市来：その後、縁あって熱海銀座商店街でカフェやコワーキングスペースを開業。軌道に乗ってきた2013年、3日間で物件オーナーにプレゼンを行い、選ばれたプランで事業を興すという「リノベーションスクール」の舞台として今のMARUYAの場所を選びました。そこで考え出されたプランがゲストハウスだったんです。

guest house MARUYA
×
guesthouse press

まちを体感する
「焼いた干物の朝ごはん」

宿のテーマは「泊まると熱海がくせになる」。旅をする人と熱海で暮らす人をつなぎ、何度も来てくれるような場所にしようとコンセプトを考えました。それを体現しているのが朝食です。向かいに三軒並ぶ老舗干物屋と協力し、朝は各自で買ってもらった干物をセルフBBQで食べられるように工夫しました。

築60年の建物は予想外の初期投資も多く、2015年11月オープン後、半年ほどは経営的には大変でした。ただ現場のスタッフがみんなモチベーション高く運営していたので、夏になる頃にはゲストも増え、先の見通しも立つようになりました。なにより今は、地元の人が飲食に出た旅人を歓迎し、MARUYAを応援してくれているの

がうれしいです。

──渡辺さんがマネージャーとして半年だそうですが、どんな実感を？

渡辺：毎日全然飽きないです。以前は建築関係の仕事をしていましたが、もっと自分で何かやりたいと思ってMARUYAに入ったので、宿の工夫やイベント開催など、新しいことに何でもチャレンジできる今の環境が気に入っています。

──市来さんのこれからの展望と目標は？

市来：今後は自らプレーヤーになるだけでなく、熱海でチャレンジをする人への創業支援やサポートも積極的に行っていきたいです。僕はまだまだ熱海の可能性はあると思っています。もっと世界中から熱海を訪れる人を増やしたいですし、ここに来る都会の人の生活もよりよくなることを続けていければいいですね。

内容は2017年8月Guesthouse Press Vol.17発行当時のものです

DATA

guest house MARUYA（静岡）

熱海駅から徒歩15分、熱海銀座商店街の中にある元パチンコ屋をフルリノベーション、プライベート感があるドアつきのカプセルベッドや広いキッチン＆ラウンジと、まちあるきツアーやごはん会などのイベントで、熱海を「もうひとつの日常」として何度も通いたくなる仕掛けがあるゲストハウス。巻末ゲストハウスMAP⑲P116掲載

【住所】〒413-0013 静岡県熱海市銀座町7-8 1F
【TEL】0557-82-0389（8:00〜21:00）
【MAIL】maruya@atamista.com
【URL】http://guesthouse-maruya.jp/

1オープンエアのコーヒースタンドとセルフBBQスペース 2黒板に描かれた地図には来訪ゲストのピンがたくさん 3玄関を入ると広がる共同キッチンとラウンジ 4新鮮な干物は身も柔らか

ここにも行きたい

古くから温泉保養地だった熱海は、夜のディープエリアも充実。スタッフに聞いてスナックやバーに行くのもおもしろいでしょう。**日航亭大湯**は古くは徳川家康も絶賛したという熱海の源泉を使ったレトロな日帰り温泉。宿の近くにみかんの自販機がある熱海銀座商店街には最近**熱海プリン**という新名物も登場。文豪が愛した**喫茶ボンネット**や洋食屋**宝亭**、**ゆしまジャズ喫茶**で昭和の文化を堪能したら、樹齢二千年の大楠の御神木がある**來宮神社**へどうぞ。海好きなら、**熱海港**から少し足を伸ばして**初島**へクルージングはいかが。特に秋から冬場は大量のカモメがついて来て大興奮間違いなし。リニューアルした**MOA美術館**は海一望の眺望と雰囲気が素晴らしい場所です。

熱海港からの
眺望

……▷ MARUYAの今とこれから ……▷

「泊まると熱海がくせになる」というキャッチコピーで、普段着の熱海をもっと見てほしいとUターンで熱海に戻り、ゲストハウスを開いた市来さん。開業後は近隣の空きビルにコワーキングスペースもオープンし、行政と組んで地元での開業支援事業を行うなど、活動の幅を大きく広げています。朝食は宿の前にある熱海名物の干物屋で購入、BBQグリルで焼いて食べるという楽しい仕掛けは、地元熱海銀座商店街全体の売上にも貢献しています。以前は日本人旅行者が大多数でしたが、最近は英語での情報発信も増えたため海外からの旅行者も増えてきているそう。現在、2号店として個室タイプの「ホテル ロマンス座カド」のオープンに向けて整備中だそうで、こちらもまた楽しい施設になりそうです。

編集長
の目

観光地熱海復活の鍵は
地元を好きになる意識改革から

熱海はここ10年で大きく変化しました。「衰退した観光地」の代名詞だった熱海をなぜ再生できたのか? まちの変化の全てが市来さんの手腕ではありませんが、彼の試行錯誤の経緯は2018年発刊の自著『熱海の奇跡』にも詳しく書かれています。Uターンした市来さんが最初に取り組んだことは、まちあるきツアー企画を通して「住民自身が地元を好きになる」取り組みでした。観光地として盛り上げるよりも、住む人がまちへの誇りを取り戻し、醸成することで、まちの雰囲気はあっという間に変わっていくのだと市来さんは語っています。地域振興は今、「どんな事業がよいか? 儲かるか?」ではなく、「地元の人がいかに楽しく暮らせているか?」が重要になっています。その雰囲気に惹かれて観光客、さらには移住者もやってくるのではないでしょうか。

18 あたたかくて居心地のよい下諏訪の魅力発信拠点

マスヤゲストハウス［長野］

マスヤゲストハウス オーナー斉藤希生子さん

きめ細かい心づかいとチーム力で
宿と下諏訪ファンを増やし続ける

——ゲストハウスを諏訪につくることになった経緯を教えてください。

諏訪の隣の茅野市で生まれ育ち、大学で東京へ。大学時代に世界一周旅行したのがきっかけで、「旅先での家のような安心感や、人との距離が縮まるのが早い」ゲストハウスの魅力に惹かれていきました。

自分でもそんな宿をつくりたい！ それにはまず働いてみなければと、旅先で検索して巡り合ったのが求人募集をしていた東京のNui.とtoco.でした。そこで帰国後すぐに働くことになり、自分がホストとしてゲストを受け入れるのも好きなんだな、と確信しました。

場所は、当初「人がたくさん来るところで」という思いが強かったのですが、地方のゲストハウスを巡るうちに、宿を主目的に泊まった土地に、好きな場所や人がたくさん増えて、「地方の宿には、まちの魅力を紹介する役割があるんだ、そんな場所をわたしの地元にも作りたい」と思うようになりました。「長野県の諏訪エリアで、公共交通機関での利便性がよく徒歩で観光可能な場所が点在」と絞ると、ここ下諏訪がベストの選択でした。

ここはもともと「ますや」という老舗旅館でしたが、廃業して20年経ち、わたしが地元に戻って紹介されたときには、あと1ヶ月で取り壊しという状態でした。想定より大きな物件でしたが、Nui.も手掛けた東野唯史さんにデザインをお願いして、一緒に宿づくりをスタート。地元の人も来てもらえるバーを設け、共有リビングを広く、暗いイメージになりがちな建物に吹き抜けを入れて明るくするよう工夫しました。

スタッフ間の連携で
安心できる雰囲気づくり

——ゲストにリピーターが多く、スタッフの評判もとてもよいですね。

おかげさまで、毎日ゲストのどなたかがリピーターで、通ってくださる方も多いです。

スタッフによく話しているのは「宿の印象で下諏訪の印象が決まる」ということ。目の前にいるゲストの下諏訪滞在が良い時間になるよう、どんなことができるのか常に考える、スタッフの数を多めにして、全員が周囲の案内もしっかりとできるようにする。温泉の温度や雰囲気、オススメのメニュー、どんな店主がいるかなども。日々の運営で気づくことやゲストとの出来事、下諏訪のまちのことも、ミーティングや日報できちんと伝えて、情報共有も欠かさないようにしています。

開業当初は県外からのスタッフが多かったのですが、独立して別の宿をつくるなど卒業していき、今は地元出身のメンバー中心、長く勤めているスタッフも増えて、とてもたのもしいです。

開業して2年目で結婚して、今は子育ての真っ最中です。朝早く出勤して、夜遅くに家に帰る生活だったのが、子育てとなるとそうもいかず、ようやく、苦手だった「任せる」ことができるようになりました。任せてみたら、スタッフみんなが考え、工夫しながら働いてくれるようになった。自分自身はできないことが増えてしまったけれど、チームで考えながらマスヤを作っていけることがうれしいです。

——これからの抱負や目標はありますか？

まだまだ下諏訪というまちの魅力を伝えてきれていないので、もっと下諏訪ファンを増やしたい！ です。主要な名所を観光するだけでなく、住んでいるわたしたちだからこそ勧められる場所、もの、人を伝えていきたい。宿だけで完結するのではなく、外にあるものは積極的にまちに出てもらい、下諏訪にないものをやるのがマスヤの役割。それをきちんと見極めて、少しずつかたちを変えながらでも、ずっと続けていけたらと思っています。

内容は2017年10月Guesthouse Press Vol.18発行当時のものです

DATA

マスヤゲストハウス（長野）

JR下諏訪駅から徒歩5分。純和風旅館だった建物を明るくリノベーション、バー併設のゲストハウス。ペチカストーブがある広いリビングとキッチン他、くつろげる共有スペースが多く、地元の人・旅人問わず、人の気配で溢れている宿。巻末ゲストハウスMAP⑯P116掲載

【住所】〒393-0062 長野県諏訪郡下諏訪町平沢町314
【TEL】0266-55-4716（8:00～11:00/16:00～22:00）
【MAIL】info@masuya-gh.com
【URL】http://masuya-gh.com/

1バーカウンターには毎晩スタッフが交代で立つ **2**笑顔が素敵な運営チームのみなさん **3**広い1階リビングはチェックアウト後も滞在可能 **4**使いやすいキッチン **5**館内に散りばめられているかわいらしいディスプレイ **6**古道具もあるホワイトルーム **7**円形にくり抜かれ美しくデザインされた壁

こ こ に も 行 き た い

諏訪湖エリアで一番大きな見どころはなんといっても**諏訪大社**ですが、上社（本宮・前宮）・下社（春宮・秋宮）と4つあるのはご存知ですか？ 春宮の奥には岡本太郎が絶賛したという**万治の石仏**があるのでそちらも是非。下諏訪の駅前にある**Cafe gatoha**や小さなショップの雰囲気が素敵だけれど、**チャボ食堂**のチャボカツ丼も捨てがたい。早朝から営業している地元温泉で熱い湯をハシゴして、朝食は近くのEric's Kitchenへ。通称リビセンこと**Rebuilding Center Japan**はカフェ併設の古材と古道具のお店。諏訪湖畔にある元祖日帰り温泉ともいえる**片倉館**の千人風呂も見逃せない。建物は国指定重要文化財にもなっているそう。夏は花火見学もおすすめです。

万治の石仏

⋯▷ マスヤゲストハウスの今とこれから ⋯▷

東京からUターンした斉藤さんの周囲は協力者も多く、ふらりと宿にご飯を作りにくるご近所さんがいたり、定期的にライブや企画展も行うなど、マスヤは旅人だけでなく地域住民にも愛される存在。最近はご自身が子育て中のこともあり、近所のママたちも「誰かとおしゃべりしたい！」と、赤ちゃん連れで日中宿のリビングにやって来てくれたりすることも。居合わせたゲストも子どもにデレデレ。お子様連れが気持ちよく過ごせるために、アメニティや設備にアイデアを取り入れたことで、子連れのゲストも増えました。また、マスヤを卒業したスタッフが故郷など別の土地で新たに宿を開業するうれしい流れもできています。素敵な仲間たちがこれからも日本中に広がっていくのが楽しみです。

編集長
の目

驚異のリピーター率
人が人を呼びこみ、波及効果でまちが変化

「マスヤに来ると必ずリピーターになる」と言う人がいるほど、スタッフひとりひとりのおもてなし力が素晴らしいのが特徴です。ひとつの宿がきっかけで、その波及効果が大きく広がった典型例が最近の諏訪地域といえます。マスヤをリノベーション施工後、下諏訪町に移住した建築デザイナーの東野唯史さんが、お隣上諏訪町にカフェ併設の古材販売店「Rebuilding Center Japan」を設立、ボランティアで運営に協力する仕組みを構築したことも、訪れた人が観光目的以外でまちに関わるきっかけを増やすことになりました。行政も2017年に移住交流スペース「ミーミーセンタースメバ」を、2018年には「しごと創生拠点施設ホシスメバ」を、地域おこし協力隊や地域住民を巻き込んで古い建物をリノベーションで整備するなど、この流れを支援しています。

19 　何度も味わいたくなる美意識あふれる京町家宿

ゲストハウス錺屋 [京都]

ゲストハウス錺屋（かざりや）オーナー上坂涼子（うえさか）さん

暮らすように京都の町家を味わえる
心を込めた空間づくり

——2009年とゲストハウスが少なかった時期、どんな経緯で開業したのですか？

もともと旅好きで、10代の頃に海外で1年過ごしたこともあり、その頃にゲストハウスの存在を知りました。帰国後、出身の京都にもそんな宿があると知り、当時スタッフ募集中だった「和楽庵」で2年働いていました。古いアンティークなものが好きだったので、オフィスビルのような蛍光灯ではなく、木造で、あたたかみのある白熱灯の下で働きたい！という思いもありました。

スタッフとして働くうちに、もっと自分でこうしたいという理想も出てきて、女将の勧めもあって町家を改装した宿を京都でやりたいと思いはじめました。物件を探して半年後、この元薬屋さん

だった和洋折衷の大正建築との運命的な出会いがありまして。なんとか資金を集めて、できるだけ自分たちで改修して、開業にこぎつけました。

当時はまだ京都の町家に泊まろうとすると選択肢が旅館しかありませんでした。昔のままのタイル張りの愛らしいお台所を一目見て、旅人が自炊をしたり、語らったりする姿がぱぁっと頭に浮かびました。建築当時のこだわりがつまった建物、そこで積み重ねられてきた時間の醸す空気感と調和するよう備品も吟味し、雰囲気づくりに気を配っています。

その後、2014年には、錺屋から徒歩3分のさらに静かな場所にある町家を改装して、4部屋・個室のみの「月屋」という宿もはじめました。

ゲストハウスは人の生活を
1日預かる場所

──京都でゲストハウスを運営する醍醐味とは？

京都は、まち自体も観光客に慣れてますし、まちの規模も大きすぎず、気楽にひとり旅がしやすい場所。新幹線や夜行バスで定期的に通ってくれるお客さまも多くて、そうした方の「帰る場所、家」でありたいなと思っています。

大切な1日を過ごすのですから、安心してくつろいでもらいたい。ここは市街地の中にありながら、四季折々の緑豊かな中庭もあります。頑張り過ぎている人の肩の力が自然にそっと抜けていくような時間を共有できればうれしいです。

今のスタッフは月屋を含め6名。わたしにとってはみんな家族のような存在です。錺屋が縁で京都に住むようになったり、人生がガラリと変わった人も多い。そうしたスタッフの仕事ぶりを見て、「こんな生き方もあるんだ」と気づく人がいたり。自分がつけた錺屋という小さな灯が、いろんなところへ波及していくのが、おそろしくもありますが、うれしいですし、大きな醍醐味でもあります。

──これからの抱負を教えてください。

京都は今爆発的に宿が増え、民泊条例などの影響もあり、ゲストハウスを取り巻く状況も変化しています。そんな中、規模を大きくするのではなく、日々の暮らしひとつひとつ愛しむように、お庭や建物の手入れをし、季節のお花を生ける。京都の歴史のなかで受け継がれてきた「かけがえのないもの」を守り、磨き続ける。「変わらぬ錺屋らしさ」を大事にして、また帰ってこようと思ってもらえるような宿づくりを続けていきたいですね。

内容は2017年12月Guesthouse Press Vol.19発行当時のものです

DATA

ゲストハウス錺屋（京都）

京都市内、五条烏丸にある大正時代築の町家を改装したゲストハウス。縁側と中庭が見える和室や和洋折衷な洋室、女性用ドミトリー・自炊用キッチンあり。系列の月屋は3年連続ミシュランに選定。備品や生花など空間すべてが整えられ、京都の古き良き雰囲気を感じながら暮らすように過ごせる宿。巻末ゲストハウスMAP㉖P117掲載

【住所】〒600-8107 京都市下京区五条通室町西入南側東錺屋町184
【TEL】075-351-1711（9:00〜21:00）
【MAIL】mail@kazari-ya.com
【URL】http://kazari-ya.com/

1中庭が見える縁側つきの和室 **2**風呂屋の番台のような受付からこんにちは！ **3**中庭でのんびりくつろぐのは最高 **4**五条通沿い、周囲と館内の空気が全く違うのが驚き **5**レトロな洋室は特に常連の方にに人気 **6**中庭には小さな茶室もあり **7**水色のタイルや模様やガラスの窓がかわいい自炊できるキッチン

京都は名所の宝庫。錺屋で宿泊したら昼前には売り切れ必至**今西軒**のおはぎを購入して**WANDERERS STAND**でモーニングを。シーズンには人で溢れる**清水寺**や**八坂神社**あたりを避けて地下鉄で東山方面へ。**南禅寺**は伝統的な庭園のほか山門に上ったり広大な敷地にレンガ造りの**水路閣**もあり、眺望含め楽しい場所。帰りに町家を改築した**ブルーボトルコーヒー**や豆腐料理の店など京都らしい体験も可能。北に向かうと哲学の道経由で**銀閣寺**もあり。**二条城**や**伏見稲荷**は海外からのゲストにも人気。少し離れて**叡山電鉄**に乗って**貴**

船神社で夏は川床体験を。秋冬は紅葉や**くらま温泉**も楽しんで。帰りにセンスあるブックセレクトで知られる**恵文社**一乗寺店に立ち寄るのはいかがでしょうか。

南禅寺水路閣

⋯▷ 錺屋の今とこれから ⋯▷

大正時代建築のモダンな町家を利用した宿は、レトロモダンという言葉が似合うデザイン性の高いしつらえで大人気。2014年には姉妹店の個室宿「月屋」も開業しました。月屋は3年連続でミシュラン掲載されるなど素晴らしい実績を挙げています。また、2つの宿を切り盛りする女将の上坂さんが綴るブログやInstagramは、レトロかわいい家具や食器、季節ごとのお部屋など、京町家暮らしを切り取った素敵な写真が並びフォロワーも多数。館内を彩る生花は自ら市場で選んで活けるなど、館内の空間は美意識にこだわりを持つ上坂さんの

個性が光ります。スタッフ同士が家族のように仲がよいのも特徴のひとつ。あなたも宿泊すればあたたかなもてなしで迎えてくれることでしょう。

10年で様変わりした京都の宿事情
運営の基盤を整えつつ長く続くゲストハウスに

編集長の目

ちょうど10年前、錺屋が開業した2009年頃は、京都は万年宿不足と言われていた時代。この数年訪日観光客増加に伴うホテル建設ラッシュが続き、状況ががらりと変化しました。一時は京町家の保存に一棟貸しの民泊が好まれ投資対象になっていましたが、現在は供給過多で価格競争になることも。周辺地価の上昇もあり、保存を考えていた町家オーナーもビルへ建て替えする事態もあ

るそう。宿の本当の実力とは、多数の中で選ばれる存在になること。オーナーやスタッフ、施設自体の魅力はもとより、存在を知ってもらうSNSやPRの工夫も必要です。経営的な体力も必要になる厳しい時代になりましたが、メンテナンスを怠らず、常にゲストを温かく迎え続けている錺屋には、次の10年もずっと続く宿であってほしいと願っています。

20 アートを感じる高松のセルフリノベーション空間

TEN to SEN ゲストハウス高松 [香川]

TEN to SEN（テン ト セン）ゲストハウス高松 オーナー杉浦聡美（さとみ）さん

こだわりのデザインと心づかいで
大人の女性が楽しめるゲストハウスに

——高松でのゲストハウス開業の経緯は？

もともと旅は好きで、10ヶ月間かけて世界一周したこともありました。その頃から「女性が1人旅しやすい宿をつくれたらいいな」と漠然と思っていましたが、実現のため動き出したのは、かなり後の2013年頃、今も別の仕事をしている夫がフリーになったタイミングでした。

兵庫出身で、高松には縁が全くなかったのですが、「ゲストハウスをつくる」と決めて候補地を探していたときにたまたま遊びに来たんです。その時、ここは自分で設定した「"アート好きが集う観光資源"、"大都市圏から車で2〜3時間"、"ご当地グルメあり"の三条件にぴったりだ！」と気づき、すぐに不動産屋に行き、物件を探し始めました。当時住んでいた一軒家を売却、その資金を元手にこのビルを格安で購入し、できるだけやれることはすべて自分で、バールで壁を壊し、ペンキを塗ったりして、半年以上かけてこつこつと作り上げ、2015年4月に開業しました。

——色使いが美しくデザインされたインテリアが素敵です

ヨーロッパの路地裏にある隠れ家的なプチホテルをイメージしてつくっています。自分が世界を旅した経験から「大人の女性がひとりで静かに、安価に楽しめる宿」が日本には少ないと感じていました。現在のゲストは女性が6〜7割ほど、みなさんがラウンジで静かにゆったりと過ごしてくださっているのを見るとうれしくなります。

ゲストの変化にあわせて
DIY改造でより使いやすく

香川県内の旅行者の平均滞在日数は1〜2泊、近隣に飲食店やうどん屋さんも多いので、開業当初は共用キッチンは不要と考えていました。その後、2016年開催の瀬戸内国際芸術祭を機に、1週間程度連泊するゲストが増えてきたため、バースペースを長期滞在に便利な共用キッチンに改造、大荷物も置けるよう女性用ドミトリーのベッドを広く、メイクしやすい鏡をつけました。この冬には、ラウンジ部分も靴を脱いでよりくつろげるよう板張りに変えました。

インテリアとして見栄えを変える意味もありますが、常にゲストの方に快適に過ごしてもらいたいから。季節の生花を飾ったり、隅々まで清潔にきちんと掃除をするといった当たり前のことも怠らず、新たに加わったスタッフとともに今後も創意工夫をし続けたいです。

──これからの抱負を教えてください

以前はラウンジでイベントなども開催していましたが、改装で手狭になったので、近隣の空き部屋だった場所に新たにキッチンつきのシェアスペースもつくるなど、少しずつ宿以外の動きも広がってきています。

ひとつの宿でできることは多くありませんが、そんな小さな動きが重なって、「高松っていいところ」という価値を高めることができれば、点と点がつながり、線になるように、まちに貢献することにも繋がるのではないかと思っています。

10年前、まさか自分が高松でゲストハウスをやっているとは想像もしていませんでした。ここを開業したのも40代になってからですが、人生は一度きり。まだまだこれからも、宿業にとらわれ過ぎることなく、自分自身がワクワクする楽しいことをし続けていきたいですね。

内容は2018年3月Guesthouse Press Vol.20発行当時のものです

TEN to SEN × guesthouse ● press

DATA

TEN to SEN ゲストハウス高松（香川）

高松市内、ことでん瓦町駅徒歩5分、飲食店も多い商店街裏の4階建てビルをセルフリノベーション、カラフルな色使いと木のぬくもりを感じるデザインと適度なもてなしが心地よいゲストハウス。巻末ゲストハウスMAP㊳ P118掲載

【住所】〒760-0053 香川県高松市田町1-11-2階
【TEL】087-813-0630（9:00〜22:00）
【MAIL】info@tentosen.jp
【URL】http://tentosen.jp/

1 床以外に天井や壁もDIY施工した板張りのラウンジ **2** ガイドブック以外にもセンスあふれる本が並ぶシェルフ **3** ドミトリー内部もポップな色使いで広めのベッドがうれしい **4** 新たに作った共有キッチン **5** 屋上部分もグリーンで演出

こ こ に も 行 き た い

高松は香川県、つまりうどん県の県庁所在地。当然讃岐うどんの名店めぐりはマスト。うどんパスポートなど数多くの指南ガイドが配布されているので好みのお店を見つけてみてください。つゆをセルフで入れる**さか枝**と釜玉バターなど変わり種の**手打十段 うどんバカ一代**が美味しくておもしろい。夜は**一鶴**ほか名店揃いの骨付鶏を。瀬戸内国際芸術祭関連の野外アートが多数ある**女木島**、**男木島**は高松港からフェリーで20〜40分。歩きか自転車で回れる大きさがうれしい。**直島**、**豊島**巡りも高松起点が便利です。**仏生山温泉**は泉質も

デザインも最高、琴平電鉄で行ってみて。アート好きならお隣丸亀市の駅前にある**丸亀市猪熊弦一郎現代美術館**や**イサム・ノグチ庭園美術館**もおすすめです。

男木島

⋯▷ TEN to SEN の 今 と こ れ か ら ⋯▷

2015年春のオープン後も、旅行者の傾向や事情をふまえ、館内は毎年変化を続けています。飲み物を販売していたバーカウンターは、ゲスト自身が調理できる共有キッチンに。リビングは一人旅の女性でも過ごしやすいように家具を変え、木をふんだんに使用した内装にするなど、お得意のセルフリノベーション技術を駆使してインテリアを一変。さらに近隣ビルの一室をレンタルキッチンスペースとして運用するなど、その経営は広がりをみせています。2019年春には2号店、女性専用個室の別館「coco」もオープン。オペレーション

の省力化をはかりながらも、必要な情報提供はきちんと提供する仕組みを構築し、ゲストもスタッフも楽しく過ごせる空間づくりを常に心がけています。

アートを巡る島旅で人気の高松
ゲストを惹きつけるデザイン性の高い宿づくり

編集長
の目

京都ほどではないものの、高松もまたここ数年で宿事情が変化した土地のひとつです。以前はゲストハウスは10軒ほどでしたが、現在は4倍以上あるそう。ホテルや大型ホステルに加え民泊施設も増加しました。動きを牽引しているのは外国人観光客。3年毎の瀬戸内国際芸術祭開催で、近年欧米系に加え台湾などのアジア諸国からの来訪も増えました。高松空港に海外からのLCCが直行便を

就航させるなど、交通基盤を整えたことも増加の要因でしょう。瀬戸内の小さな島を巡るという経験に、野外アートという強い訴求力を持つコンテンツを加えたことで「ここでしか味わえない」景色や体験を得られます。杉浦さんは、アートを好むゲストを満足させるデザイン性の高い宿をつくり、彼らのニーズに応えることで多くのリピーターを生む人気を保っています。

21

東京・神楽坂で輝くグローバルな観光拠点

UNPLAN Kagurazaka ［東京］

UNPLAN Kagurazaka　株式会社FIKA代表　福山大樹さん

あえて計画しない旅の楽しさを伝える
日本の観光プラットフォームを目指す

──開業のきっかけ・経緯を教えてください

幼少の頃から海外出張の多い父親が外国のお客さんを家に連れてくるなど、世界に目を向ける機会がありました。大学時代に冬季長野オリンピックの通訳ボランティアをして、世界中の人たちと交流を持ったことも、こうした仕事を志す原点になったかもしれません。

また、バックパックで世界50ヶ国を巡って帰国したとき、当時の日本はあまり海外からの旅人にやさしくないなというのも感じて、いつかもっと日本でもワクワクするような観光案内所のようなものができないものか、と思っていたのです。

その後はいったん大手企業に就職し、6年後もう少し自分で何か成し遂げたいと退職して、Web制作会社を立ち上げました。その中で、外国人用の観光案内サイトを作ろうと検討したこともありましたが、どうも物足りない。もっとWebよりも対面で進められるほうが強いと思うようになりました。

ちょうどその頃2020年の東京オリンピック開催が正式決定し、今がずっと本当にやりたかった事業へチャレンジするチャンスだと捉え、経営していた会社を事業譲渡して、また一から会社を立ち上げました。

自分がやりたかったことは、日本の観光プラットフォームの構築です。その中でゲストハウスとい

う業態は、自分が海外で感じたフレンドリーな接客・雰囲気、チェックイン、チェックアウトの業務の中でおすすめの場所を教えたり、ラウンジで宿泊者同士でカジュアルに交流できる最高の場だと思ったのです。

宿全体をグローバルで親しみやすい雰囲気に

──ここは外国人スタッフも多く、まるで海外にいるような印象があります。

正社員も含め外国人の登用は多めにしています。ゲストの立場で考えると、外国人にウケる考えやアイデアは、日本人の我々が考えるより彼らに任せたほうがいい。それに、自分を含めてどうしても日本人は仕事ぶりや態度に一生懸命さや苦しさがにじみ出てしまう。外国人は仕事と遊びの切り分けがはっきりしていますし、楽しく仕事をする術に長けている。そういう意味でも、宿全体の雰囲気をグローバルなものしたいと考えています。

──これからの展開は？

UNPLANという宿名には、「予定を決めない、その場の雰囲気で行き先を決めて、新たな出会いを楽しんでもらいたい」という意味を込めていま

す。UNPLANに泊まる人は、来日2回目くらいまでの旅のライトユーザーがメイン、そうした人に日本での旅を提供したいですし、日本人にもグローバルで楽しい旅のあり方をもっと提案していきたい。

今、新宿に2店舗目のUNPLANをつくっていて、年末にはオープン予定です。今後はその拠点を日本全国の都市部に複数つくって、個人旅のプラットフォームのような存在になっていければうれしいですね。

内容は2018年7月Guesthouse Press Vol.21発行当時のものです

DATA

UNPLAN Kagurazaka（東京）

地下鉄東西線神楽坂駅より徒歩3分、新築3階建のスタイリッシュで広いラウンジ兼レストランバーとカプセルスタイルのドミトリー・個室を備えた大型ゲストハウス。巻末ゲストハウスMAP⑦P115掲載

【住所】〒162-0808 東京都新宿区 天神町23-1
【TEL】03-6457-5171（8:00～23:00）
【MAIL】inquiry@unplan.jp
【URL】https://unplan.jp/

1 開放感のある1階カフェ・ラウンジ&レセプション 2 神楽坂通りの坂を登った静かな裏路地にある建物 3 宿泊者専用ラウンジもあり 4 遮光カーテンでプライバシーもしっかり確保した静かで清潔なドミトリー 5 スカイツリーも見える屋上テラス 6 おしゃれでインターナショナルな雰囲気のカフェラウンジはホステル利用者以外にも好評 7 穏やかな表情ながら熱いスピリットで話される福山さん

UNPLANがある神楽坂は、新宿からも近い都心部にありながら、江戸時代から歴史が続く芸能の町。神楽坂通りを中心に今も多くの飲食文化施設が立ち並んでいます。神楽坂駅近くの**赤城神社**は都会と思えない緑いっぱいの境内。ガラス張りの拝殿や**あかぎカフェ**があり、本格ランチや特製お神酒ジェラートも食べることができます。神社周辺には、超ふわとろクリームパンで有名なパン屋・**亀井堂**や東京都内で日本各地の島料理が楽しめる**離島キッチン**神楽坂店もあります。独自の選書で人気の**かもめブックス**、**AKOMEYA**

TOKYO in la kaguも見ていて楽しい。裏通りにも素敵なお店がある神楽坂。ぜひあなただけの穴場スポットを発掘してみてください。

赤城神社

▷ UNPLANの今とこれから ▷

それまで数が希少だった山手線の西側、新宿区神楽坂にあるUNPLAN Kagurazaka。レセプションやカフェに外国人スタッフが多いことで、日本でありながらも親しみやすい雰囲気を感じさせます。2017年には、ほぼ全員外国人スタッフでムスリムフレンドリーなhostel DENが日本橋にオープンしました。さらに2019年3月には都内最大規模のホステル、UNPLAN Shinjukuを開業。スタッフによる「予期せぬ楽しい出会い」を楽しむためのイベントを開催するなど、気取らず心に残るもてなしを提供しています。規模でもサービスでも卓越

した存在のUNPLAN。今後は地方にも拠点を増やし、外国人ゲストの日本観光の拠点となることを目指していくそうです。

大きな視野でゲストハウスをビジネス展開
旅も働き方ももっとカジュアルに

東京都心では、ここ数年古いオフィスビルを用途転換した大規模ゲストハウスが大幅に増加しました。ターゲットを訪日ゲストに絞り、彼らが快適に過ごすための情報提供を行い、外国人スタッフを幹部登用するUNPLANの考え方は、代表自身の海外経験と過去の会社経営を踏まえ、拡大したい事業を見定めた方向性となっていて好感が持てます。大きな視野でのビジネス展開は、小さくひと

つの宿を守り抜くタイプのゲストハウスとは対照的なあり方ですが、業界全体が成長し大衆化していく過程においては必要不可欠な存在。現在は都内のみですが地方都市への進出も想定中だとか。いずれ人気コーヒーチェーン店のような存在として、理念を持つ大型ゲストハウスが各地に増えたら、日本人の旅への意識がもっと気楽でカジュアルなものに変化するかもと期待しています。

北海道・札幌のローカル文化を旅で感じる

22 UNTAPPED HOSTEL ［北海道］

UNTAPPED HOSTEL オーナー 神 輝哉さん

情報通のスタッフとともに
深みある北の大地の伝統と魅力を伝えたい

──開業のきっかけ・経緯を教えてください

生まれ育ちは札幌で大学から東京へ。出版社に勤務し仕事は順調でしたが、もっと好きなように自分の力でやりたい思いも強く、当時からいずれは好きな北海道に戻るつもりでした。自分が郷里でできることを冷静に考えて出した結論が宿だったんです。

アジアのバックパック旅全盛の頃、初の海外一人旅が19歳での全米3ヶ月バス一人旅だったりと、人と同じことはやりたくないタイプ。札幌に戻ってから開業までに4年間、やりたい宿の方向性を考えつつ、洋服屋、温泉、冬のニセコでピザを売ったり、他のゲストハウスでマネージャーなどの仕事をして接客や宿業のノウハウを蓄えました。

20代まるごと札幌を離れていましたが、夜遊びで自然と友達が増えました。札幌は、知る人ぞ知る独自のダンスミュージックの歴史があり、奥行きと深みがあります。北海道全体でもまだまだ自然や他の魅力も伝わりきっていないという思いもあり、それらを伝えるゲストハウスをつくろうと自然とコンセプトも決まっていきました。

札幌が持つ文化の深みを
静かに伝える

──壁面アートや内装などとても印象的です

小学校が一緒の幼なじみがアーティストで内装デザインもやっているので、彼にお願いして、共同で作りました。自分の宿だから自分たちの手を動かしてつくるのは自然な流れ。作業は大変でしたが、宿に込めた思いが手作業を通して内部に浸透していく実感がありました。ドアやタイルはタイから空輸して利用したり、インパクトあるビル側

面や別館駐車場のウォールアートも彼を介して
出会った地元のアーティストによるものです。
──宿としてこだわっているポイント、今後の展
望は？
ネットの情報では知り得ないローカルのコネク
ションを活かした地元のディープな情報や過ごし
方などをゲストの方に提供できることでしょう
か。別館には地元の作家が製作したスピーカーや
棚、DJブースがありますし、自転車や音楽、劇
団、アウトドアなどスタッフそれぞれが違う強み
を持っていて、より札幌の文化を深掘りできる話
題を提供できるのも強みのひとつです。
ここは札幌の観光ゾーンから少し離れた北エリ
アに位置していますが、最近はおすすめで
きる個性的なお店も増えてきました。1階
の「ごはんや はるや」は、長年人気の有
名店ですが、縁あって知り合い、入口も
宿と共同で運営しています。日本の家庭
料理に興味がある海外のゲストが食事をして感
動したり、はるやに通う常連さんがホステルに
泊まることがあるなど、良い関係を築いているの

UNTAPPED
HOSTEL
×
guesthouse ● press

もうれしいです。
夏は常設で屋外バーを開きたいなど今後
の展望もいくつかありますが、これから
も地域の宿として根を張るためには小さな努力
の積み重ねが大切だと思っています。
"UNTAPPED"(＝未開発の・まだ見つかってい
ない)な北海道を満喫する場として、これからも
ぐっと深い情報をゲストの方に届け続けていけ
たら最高ですね。

内容は2018年10月Guesthouse Press Vol.22発行当時のものです

DATA

UNTAPPED HOSTEL（北海道）

北海道大学に近いエリアに位置する仲間たちでビルをリ
ノベーション、1階に家庭料理店「ごはんや はるや」を併
設し、一軒家タイプの別館ANNEXとともに北海道の深
い魅力を発見できるスタイリッシュなゲストハウス。巻末
ゲストハウスMAP①P114掲載

【住所】〒001-0018 北海道札幌市北区北18条西4丁目1-8
【TEL】011-788-4579(8:00〜22:00)
【MAIL】info@untappedhostel.com
【URL】http://untappedhostel.com/

1 1階はホステルのレセプションと家庭料理「ごはんや はるや」が
一体となったつくり **2** 2階のキッチンつきラウンジで旅の情報収集
を **3** ANNEXのラウンジはDJブースもある **4** 館内のロゴデザイン
もクール系 **5** 朝日が差し込むラウンジソファ **6** 階段がちょっと
キツイけど5階の個室はデスクとテラスつき **7** 近隣MAPとショップ
カードが一体化したボードは便利！ **8** ビル壁面に大胆なアートもあ
る表通り沿いの玄関

ここにも行きたい

UNTAPPED HOSTELは北海道大学キャンパスにも近く、お散歩コースにぴったり。イチョウやポプラ並木が有名ですが、北大総合博物館や北海道開拓の歴史を感じる札幌農学校第2農場も必見。大倉山ジャンプ競技場やJRタワー展望室T38は、夜は碁盤目状の特徴的な夜景が美しい。札幌といえばグルメ探訪も楽しい。いち推しなのがスープカレー。道産の野菜を美味しく食べるために工夫を凝らした店が勢揃い。奥芝商店やGARAKU、宿近くのスパイス料理屋みち草バザールもおすすめです。以前は知る人ぞ知る存在だったカフェ森彦は今や系列店MORIHICOとして11店舗に。北海道といえば大自然! ですが、大通公園やモエレ沼公園など札幌市内の自然と都会が混在する世界もよいです。

大通公園

⋯▷ UNTAPPED HOSTELの今とこれから ⋯▷

地元仲間とのネットワークを活かした企画イベントを定期的に行っているUNTAPPED HOSTELは、札幌のミドルエイジカルチャーを知るよいきっかけになる場所。本館と別館ANNEXの間にある中庭を使ってのカクテルバー、ミュージシャンのライブやDJイベント、トークイベントや移動書店のブックバスなど、空間をうまく利用した楽しい活動を行っています。また、カーシェアリングサービスもスタート。予約すると宿の前まで車を届けてもらえてそのまま返却すればいいという画期的なシステム。価格も手頃で札幌を起点に近郊を巡りたいゲストに好評です。利便性、快適性をさらに進化させつつ遊びの部分も充実させる。これからも札幌のカルチャーシーンを体現する存在としてますます活躍が期待されます。

独自の世界観で
札幌のカルチャーシーンを体現

編集長
の目

ゲストハウスの個性は、立地や規模などの外的要因のほかに、どんな人がどんな思いで運営しているか? というソフト面での違いが大きく現れます。オーナーの神さんは、地元札幌のふつうの観光では味わえないディープな良さを伝えたい、自分たちが良いと思う文化をゲストにも楽しんでほしいと考えています。スタッフには好奇心旺盛で個性的なメンバーを揃え、彼らの美意識・世界観も尊重しながら、宿の空気感をつくりあげています。スタッフが一番輝くのは、おすすめの場所や店などの自分たちが持つ情報を提供し、それを喜んでもらえるとき。周囲の店もそれを歓迎し「UNTAPPEDからやってきた」ゲストを温かく迎える。そうした関係性を構築し、強化していることで、周辺地域全体が活気づき、発展していく機運につながっています。

23 地元ネットワークで福井の魅力を伝える駅近ホットスポット

福井ゲストハウスSAMMIE'S ［福井］

福井ゲストハウス SAMMIE'S オーナー 森岡咲子さん

ご縁をつないで土地の魅力を伝える
体験の橋渡し役でありたい

──どうして故郷の福井でゲストハウスを？ きっかけや経緯を教えてください。

最先端の学問に触れたい！ と猛勉強して憧れの東京大学に入学したのですが「上には上がいる」と

在学中はやや落ち込むことも。そんな学生時代、大学3年の時に日本一周の旅に出て、ゲストハウスなど旅人にやさしい宿の存在を知りました。一人旅はどこに行って何をするか？ といった選択の連続。旅のなかで自分が「橋や建築」「アート」「日本の風習や風土」に強い興味があることに気づき、卒業後は大手建設会社に就職しました。

仕事は大変やりがいもあり楽しかったのですが、東日本大震災が起こり、原発建設も担う会社にいる自分の足元がグラグラと揺れました。また仕事柄、新築に重きを置く現場が多かったのですが、自分の興味が古いものを活かす「リノベーション」やコミュニケーションが生まれる「場づくり」

に移りつつあったため、ただ猛烈に働きお金を稼いで消費するだけの生活にも疑問が芽生え、自分の生き方や働き方を改めて考え直すようになったんです。

その後名古屋に転勤となり生活に少し余裕が出来た頃、『福井人』という書籍の情報を得ました。当時はただ応援する程度の関わり方でしたが、そこで地元で自分らしく活躍する人たちの存在を知って、替えが効く会社員ではなく「私にしかできない旅人を繋げる福井初のゲストハウスをつくりたい！」と目標が定まりました。1年ほど資金を貯め開業準備をした後、福井駅東口に近い激安古家を購入し、友人たちの協力のもと、解体からベッドや部屋内部のデザイン製作まで行うセルフリノベーションでオープンまでこぎつけました。

スタッフとともに
新しい福井の魅力を継続発信

SAMMIE'S
×
guesthouse ♠ press

——2015年夏に開業して今年で3年目。ご自身も結婚・出産を経て現在子育て真っただなか、苦労や工夫していることは？

おかげさまで3年続けるとリピーターも増え、顔見知りのゲストに再会するのはうれしいですし、ここがハブになって移住やビジネスなどで福井に関わる人が少しずつ増えているとも感じています。2017年に子供が産まれて新たにスタッフを迎えてからは、仕事の楽しさの質も変わってきました。2年間ひとりで切り盛りし「自分の宿」という意識もあり、ずっと仕事場に張り付きっぱなしだったのですが、今は自分の個性に加えて、スタッフが

私の知らない分野の話題や人脈を使って福井の魅力をゲストに伝えてくれているのが頼もしく、居心地もよいです。

こだわっているのは「ご縁のおすそ分け」。その人の要望の奥にある隠れたニーズを掘り起こして人や場所を繋いでいくのが楽しい。あまり期待されていないときほど燃えますね（笑）。今後は、もう少し福井の文化や歴史、特に永平寺があることもあり「禅」の文化について学びを深めたいと思っています。可能であればテーマ型の宿もつくりたい。DIYで宿の環境改善をしたり、人を育てることはずっと続けていきつつ、「ここから何かがはじまる」きっかけが生まれるゲストハウスとして長く愛される存在でいられるとうれしいですね。

内容は2018年12月Guesthouse Press Vol.23発行当時のものです

DATA

福井ゲストハウス SAMMIE'S（福井）

福井駅東口徒歩5分、女性オーナーが一軒家を自らDIYしたちいさなゲストハウス。福井県のさまざまな旅・生活情報を提供、北陸と関西・東海エリアの宿泊・交流交差ポイントとして重要な役割を果たしている。巻末ゲストハウスMAP㉓P117掲載

【住所】〒910-0859　福井県福井市日之出2-6-8
【TEL】0776-97-9559(8:00～10:00/16:00～21:00)
【MAIL】sammies291gh@gmail.com
【URL】http://sammies.jp/

1 購入時はボロボロだったという古家を自らリノベーション。天井や壁にも工夫あり **2** 2階の床下を開け吹き抜けに **3** お子さんも受付業務？見守る母とスタッフの土田佳奈さん **4** 使いやすい共有キッチン **5** 細かい気配りを感じる洗面スペース **6** 設計図を引いて丈夫に仕上げたドミトリーの2段ベッド **7** 2階の個室は和の雰囲気、冬は湯たんぽサービスもあり

ここにも行きたい

SAMMIE'Sがある福井駅周辺は、**福井城址**の本丸跡地に建てられた福井県庁をはじめ、旧福井藩主松平家の別邸で、海外の庭園マニアからも人気という**養浩館庭園**など、歴史を感じるお散歩コースがあります。付近には**BON COFFEE**や**クマゴローカフェ**など素敵なカフェも点在。和菓子好きなら**親玉菓舗**の六方焼を是非。もちろん名物越前おろし蕎麦も忘れずに。地元のローカル鉄道**えちぜん鉄道**に乗って禅の聖地曹洞宗大本山の**永平寺**へ。近くの**アトリエ菓修**で人気のりんごパイが買えたらラッキー。黒川紀章設計の**福井県立恐竜博物館**に行くのも遠足気分で楽しめます。車があれば日本海を望む**越前岬**や**東尋坊**の絶景へも足を伸ばしてみては?

福井駅前

----▷ SAMMIE'S の 今 と こ れ か ら ----▷

子育てをしながらゲストハウスの通常業務をするだけでも大変な激務ですが、森岡さんはそれに加えて、DIYで館内のメンテナンスも行っています。時には行政や学校などから依頼され、Uターン起業をした経験者として、また女性経営者としても講演や講師を務めるなど、活動の幅はさらに拡がっています。SAMMIE'Sの強みは、地元のおもしろい人たちとの繋がりから得られる情報力。最近は森岡さんだけでなく、スタッフもそれぞれ得意分野を活かしてネットワークを広げています。メジャーな観光情報のアップデートだけに留まらず、小さな地域イベント情報も得られることが多く、旅人にとってはノープランで行っても安心して楽しめる小さなおもちゃ箱のような存在です。

編集長
の目

細やかな地域情報の更新で
福井に触れる関係人口を増やす

福井で初めてできたゲストハウスがSAMMIE'S。駅前の古い一軒家をDIYで改修して開業したこと、Uターン女性が起業し地域と深く繋がりながら事業を運営している事実は、ゲストハウスをやりたい若者が憧れる要素が多々あるようです。『福井人』という書籍で地元を再発見した森岡さんは今、ゲストハウスが福井の魅力の発信基地として機能するよう注力しています。めがねの産地鯖江や名水が流れる大野など、県内で生まれている新たな地域活動の動きもいち早くキャッチし、繋がりを深めながら旅人を紹介して「関係人口」を深める活動を続けています。多岐にわたる活動や生活で、きっと目が回るほど忙しい森岡さん。その中でも笑顔が溢れる彼女の表情に人は惹きつけられ、また会いに行きたくなるのかもしれません。

ゲストハウスを
つくる人は
旅の未来を
見せてくれる人

いかがでしたか？ 23のゲストハウスは個性溢れる素敵な宿ばかり。旅人とまちの人を繋ぐハブのような存在がゲストハウスであり、そのオーナーであるといえるでしょう。東日本大震災をきっかけに、自分たちの暮らしを改めて見直す人も増えました。「お金は稼げるけれど、毎日時間に追われる暮らし。本当に幸せか？」そう考えた人が都会を離れ、新たに居心地よい働き方を模索しはじめました。ゲストハウスのオーナーには、都会から地方に移住して起業・開業した人が多くいます。彼らは生活基盤を自らつくり、切り拓いてきたビジネスの先駆者的存在。観光旅行で偶然ゲストハウスに泊まり、彼らのような人に憧れ、そして自分で宿を開業する。地方のゲストハウス増加は、そうした動きとも関連性がありそうです。旅とは、自分の人生をみつめる時間でもあります。ゲストハウスを作る人は、そんな旅の未来をみせてくれる人といえるかもしれません。

GUESTHOUSE MAP

ゲストハウスプレス編集部が自ら足を運んで選んだ日本全国の素敵なゲストハウスを一覧MAPとしてご紹介します。2013年の活動当初から2017年までにオープンしたゲストハウスを選んでいます。次の旅先選びに！ ぜひお役立てください。

〈 北海道・東北 〉

1 UNTAPPED HOSTEL（北海道）
P.114　UNTAPPED HOSTEL (Hokkaido)

2 ゲストハウス梅鉢（宮城）
P.114　Guest House UMEBACHI (Miyagi)

3 欅ゲストハウス（宮城）
P.114　KEYAKI GUESTHOUSE (Miyagi)

〈 関東 〉

4 東京ひのはら村ゲストハウスへんぼり堂（東京）
P.114　Hinohara Village Guesthouse Henborido (Tokyo)

5 ブンカホステルトーキョー（東京）
P.114　BUNKA HOSTEL TOKYO (Tokyo)

6 Nui. HOSTEL & BAR LOUNGE（東京）
P.114　Nui. HOSTEL & BAR LOUNGE (Tokyo)

7 UNPLAN Kagurazaka（東京）
P.115　UNPLAN Kagurazaka (Tokyo)

8 IRORI Nihonbashi Hostel and Kitchen（東京）
P.115　IRORI Nihonbashi Hostel and Kitchen (Tokyo)

9 ゲストハウス亀時間（神奈川）
P.115　Guesthouse Kamejikan (Kanagawa)

10 Hostel YUIGAHAMA + SOBA BAR（神奈川）
P.115　Hostel YUIGAHAMA + SOBA BAR (Kanagawa)

11 HAKONE TENT（神奈川）
P.115　HAKONE TENT (Kanagawa)

〈 中部・信越 〉

12 山ノ家カフェ＆ドミトリー（新潟）
P.115　YAMANOIE CAFE & DORMITORY (Niigata)

13 ゲストハウスLAMP野尻湖（長野）
P.115　Guesthouse LAMP NOJIRIKO (Nagano)

14 ゲストハウス蔵（長野）
P.115　Guest House KURA (Nagano)

15 1166バックパッカーズ（長野）
P.116　1166 backpackers (Nagano)

16 マスヤゲストハウス（長野）
P.116　MASUYA GUESTHOUSE (Nagano)

17 古民家noie梢乃雪（長野）
P.116　Kozuenoyuki (Nagano)

18 kagelow Mt.Fuji Hostel Kawaguchiko（山梨）
P.116　kagelow Mt.Fuji Hostel Kawaguchiko (Yamanashi)

19 guest house MARUYA（静岡）
P.116　guest house MARUYA (Shizuoka)

20 飛騨高山ゲストハウスとまる（岐阜）
P.116　Guesthouse Tomaru (Gifu)

ゲストハウス旅のおすすめ滞在情報

旅先であなたはどんな風に過ごすのが好きですか？ ここでは42ある全国厳選ゲストハウス各宿スタッフが自信をもって推薦する旅の楽しみ方や情報を集めました。じっくり読むと近くの地元民しか知らないような穴場の食事処やカフェなども載っているかも！?

❶ UNTAPPED HOSTEL（北海道）

昼間は宿のカーシェアを使って少し遠出。丸駒温泉で大自然に浸るもよし、海や山や湖に行くもよし。帰り道にはガイドブックには載らないスープカレーやラーメン……など。是非スタッフに直接聞いてみてください。宿1階の"ごはんやはるや"のご飯もオススメです！

【住 所】北海道札幌市北区北18条西4丁目1-8
【料 金】ドミトリー 3,200円〜 個室 4,500円〜
【TEL】011-788-4579（8:00〜22:00）
【MAIL】info@untappedhostel.com
【URL】http://untappedhostel.com/

❷ ゲストハウス梅鉢（宮城）

宮城に来たら日本三景の松島にぜひ足を運んでみてください。松尾芭蕉が絶賛した松島の美しい景色、牡蠣や穴子等海の幸を堪能できます。夜は当館で晩御飯や地酒等をご提供しておりますので、ゲストさん・スタッフ・地元の方とみんなで食卓を囲み、情報交換したりお話をしながら一緒に楽しい時間を過ごしましょう♪

【住 所】宮城県仙台市宮城野区平成1丁目3-14
【料 金】ドミトリー 2,500円〜 個室 3,500円〜
【TEL】022-231-7447（8:00〜11:00/16:00〜23:00）
【MAIL】info@umebachi2009.com
【URL】https://umebachi2009.com/

❸ 欅ゲストハウス（宮城）

畳にちゃぶ台のお茶の間でごろんとなったり、バーで世界各国のビールや宮城の地酒を皆でわいわい飲んだりと、思い思いの過ごし方でくつろいでください。近くには銭湯もあり、東北最大の繁華街国分町も至近、牛タンや海鮮のお美味しいお店がたくさんあります。近くにあるふわふわかき氷のお店もオススメです！

【住 所】宮城県仙台市青葉区立町13-4
【料 金】ドミトリー 2,800円〜 個室 3,800円〜
【TEL】022-796-4946（8:00〜10:00/16:00〜22:00）
【MAIL】info@keyaki2014.com
【URL】http://keyaki2014.com

❹ 東京ひのはら村ゲストハウスへんぼり堂（東京）

へんぼり堂は檜原村で遊ぶ・学ぶ・泊まる・暮らすことが出来るちょっと変わった安宿です。寺子屋のように色んな習い事があり、その習い事の師匠は村の人だったり、あなただったりします。遊ぶように学び、暮らすように泊まることができる、そんな場所です。

【住 所】東京都西多摩郡檜原村人里1839
【料 金】ドミトリー・個室 3,000円
【TEL】090-4028-1585（10:00〜22:00）
【MAIL】hinoharaguesthouse@gmail.com
【URL】http://henborido.net

❺ ブンカホステルトーキョー（東京）

浅草すしや通り商店街の入り口に位置する、元パチンコ店をコンバージョンしたホステルです。1階の居酒屋ブンカは朝7時〜夜23時まで営業。地元の老舗店、「浅草開花楼」の麺や「葱善」の江戸千住葱を使用した牛骨スープのブンカラーメンがオススメです！ 徒歩5分の浅草寺は夜に行くと昼の賑やかさが嘘のように静寂で厳かな気分に。

【住 所】東京都台東区浅草1-13-5
【料 金】ドミトリー 3,000円〜 個室 16,800円〜
【TEL】03-5806-3444（24時間）
【MAIL】info@bunkahostel.jp
【URL】http://bunkahostel.jp/ja/

❻ Nui. HOSTEL & BAR LOUNGE（東京）

Nui.の1階はカフェとバーラウンジになっているので、出かける前には珈琲でくつろぎ、夜に帰って来てからはバーに集まる宿泊者や近隣の方との会話をお酒と共にお楽しみください。また、Nui.が建つ蔵前エリアはギャラリーやショップ、アトリエが多く、浅草までも徒歩圏内。日中はぶらぶらと街を歩くのもオススメです。

【住 所】東京都台東区蔵前2-14-13
【料 金】ドミトリー 3,000円〜 個室 7,600円〜
【TEL】03-6240-9854（8:00〜23:00）
【MAIL】nui@backpackersjapan.co.jp
【URL】https://backpackersjapan.co.jp/nuihostel/

❼ UNPLAN Kagurazaka（東京）

交通至便な場所にありながら、静かで落ち着いた雰囲気がある神楽坂。UNPLANでは清潔で快適なドミトリールーム、ダブルベッドを備えた個室など4タイプのお部屋をご用意。1階のカフェは誰でもご利用可能で、スペシャリティコーヒーやカクテルのほか、ランチメニューも各種揃えています。

【住　所】東京都新宿区天神町23-1
【料　金】ドミトリー 4,500円〜 個室 19,800円〜
【ＴＥＬ】03-6457-5171（8:00〜23:00）
【MAIL】inquiry@unplan.jp
【URL】https://unplan.jp/

❽ IRORI Nihonbashi Hostel and Kitchen（東京）

IRORI Nihonbashi Hostel and Kitchenは「地方と都会をつなげる拠点」として2015年にオープン。ラウンジには囲炉裏とシェアキッチンがあり、同じ食卓を囲んで交流が深まる場になっています。宿泊しなくても、18時以降は囲炉裏で魚を焼いたり、海外の方と交流できたりしますよ！

【住　所】東京都中央区日本橋横山町5-13
【料　金】ドミトリー 2,100円〜
【ＴＥＬ】03-6661-0351（7:00〜23:30）
【MAIL】info@irorihostel.com
【URL】http://irorihostel.com

❾ ゲストハウス亀時間（神奈川）

「亀時間」のある材木座は鎌倉時代に港町として栄えました。ゆるりとした時が流れる昔ながらの商店街を歩くと、海まで3分。朝や夕方に砂浜を散歩すれば鎌倉に住んでいる気分を味わえます。空気の澄んだ季節には富士山の眺めが綺麗です。鎌倉一大きな山門を誇る光明寺では蓮池を鑑賞したり、野良猫と戯れたりできますよ。

【住　所】神奈川県鎌倉市材木座3-17-21
【料　金】ドミトリー 3,200円〜 個室 9,000円〜
【ＴＥＬ】0467-25-1166（12:00〜21:00）
【MAIL】info@kamejikan.com
【URL】https://kamejikan.com/

❿ Hostel YUIGAHAMA + SOBA BAR（神奈川）

鎌倉のどこに行くにも便利なので、海・山・寺社仏閣巡りなど、日中はぜひアクティブに。隣接のシェアオフィスで仕事と両立も可能。夜はローカルとの交流を楽しんで。1階SOBA BARの山形蕎麦や日本酒は絶品です。近所のカフェHOUSE YUIGAHAMAではセレブに話題のKOMBUCHAが味わえます！

【住　所】神奈川県鎌倉市由比ガ浜2-5-16
【料　金】ドミトリー 3,500円〜 個室 13,000円〜
【ＴＥＬ】0467-81-4242（9:00〜21:00）
【MAIL】info@hostelyuigahama.com
【URL】http://hostelyuigahama.com/

⓫ HAKONE TENT（神奈川）

HAKONE TENTは強羅駅から徒歩2分の古旅館を改装し、2014年6月にオープンした温泉ゲストハウスです。自慢は24時間源泉掛け流しの温泉です。温泉でポカポカになった後、Barでお酒を楽しんで、ふかふかの和布団でおやすみください。

【住　所】神奈川県足柄下郡箱根町強羅1320-257
【料　金】ドミトリー 3,500円〜 個室 4,000円〜
【ＴＥＬ】0460-83-8021（8:00〜22:00）
【MAIL】hakonetent@gmail.com
【URL】http://hakonetent.com/

⓬ 山ノ家カフェ&ドミトリー（新潟）

山ノ家の周辺は"大地の芸術祭 越後妻有アートトリエンナーレ"の開催エリアの中心地のひとつ。棚田などの里山の原風景を楽しみながら現代アートに親しむことができます。夜は1階に併設する山ノ家カフェで地場産野菜たっぷりの手づくりのごはんや地酒を味わい、絶景露天風呂の芝峠温泉に浸かるのもおすすめです。

【住　所】新潟県十日町市松代3467-5
【料　金】ドミトリー 4,000円
【ＴＥＬ】025-595-6770（10:00〜20:00）（火水定休）
【MAIL】info@yama-no-ie.jp
【URL】http://yama-no-ie.jp/

⓭ ゲストハウスLAMP野尻湖（長野）

「365日、遊びの拠点」四季の移ろいがハッキリした信濃町で季節に応じた大自然を存分に味わう為のアウトドアスクール、羊肉やハンバーガーを中心に長野の野菜を楽しめるレストラン、薪ストーブと野尻湖で交互浴ができるフィンランド式サウナ、遊んで食べてととのえて寝るそんなゲストハウスにぜひ遊びにきてください。

【住　所】長野県上水内郡信濃町野尻379-2
【料　金】ドミトリー 2,800円〜 個室 5,000円〜
【ＴＥＬ】026-258-2978（9:00〜19:00）
【MAIL】youkoso@sundayplanning.com
【URL】http://www.sundayplanning.com/lamp/

⓮ ゲストハウス蔵（長野）

須坂には粋なお店がたくさん！ 創業310年の薬局屋さんで薬膳茶試飲、全国大会で金賞総なめのハンコ屋さんで彫り体験。みそ蔵見学に、おやきづくり体験はお話好きのおばちゃまトーク付き！ 絶対オススメ飲食店情報も揃ってます！ 須坂は決して有名な観光地ではないけれど、自分で楽しみ方を見つける旅の喜びがありますよ。

【住　所】長野県須坂市本上町39
【料　金】ドミトリー 3,500円〜 個室 6,000円〜
【ＴＥＬ】026-214-7945（8:00〜22:00）
【MAIL】info@ghkura.com
【URL】http://www.ghkura.com

⑮ 1166バックパッカーズ（長野）

これからの人生、どこに住もうか、誰と暮らそうか、どう働こうか、どう生きようか。地方に移住を考えた30才前後の旅人も1166バックパッカーズによく現れます。行程に少し余裕をもって、いや、できることならノープランで、旅先での出会いや心くすぐる情報に流されるように旅してください。

【住　所】長野県長野市西町1048
【料　金】ドミトリー 3,000円・個室 7,800円〜
【TEL】026-217-2816（8:00〜11:00/16:00〜22:00）
【MAIL】info@1166bp.com
【URL】https://1166bp.com/

⑯ マスヤゲストハウス（長野）

マスヤのある下諏訪は、由緒ある諏訪大社、季節によって表情の変わる諏訪湖、町の人が毎日入る天然温泉、老舗のご飯屋さん、楽しい店主のいる個性的なお店の数々を、歩いてぐるりと周れるコンパクトな町です。まずはマスヤで一泊、周辺のオススメをたっぷりご案内しますので、きっと下諏訪を好きになってもらえるはずです。

【住　所】長野県諏訪郡下諏訪町平沢町314
【料　金】ドミトリー 3,200円〜 個室 5,000円〜
【TEL】0266-55-4716（8:00〜11:00/16:00〜22:00）
【MAIL】info@masuya-gh.com
【URL】http://masuya-gh.com/

⑰ 古民家noie梢乃雪（長野）

「なにもない、がここにある。」さぁ、田舎でなにしよう？ 畑で土と遊んだり、犬と一緒に集落を散歩してみたり、縁側でのんびりしてみたり。なにもない田舎だからこそ、全てがあなたの遊びのフィールドであるのです。入口は当館HPから。あなたがわくわくする方向へ、どうぞ足を踏み入れてみてください。

【住　所】長野県北安曇郡小谷村中土12965-1
【料　金】ドミトリー 7,300円・個室 7,300円〜
【TEL】080-8019-4478（8:30〜22:00）
【MAIL】kozuenoyuki@kominkasaisei.net
【URL】http://kominkasaisei.net/

⑱ kagelow Mt.Fuji Hostel Kawaguchiko（山梨）

富士山の麓に位置し、敷地内や各部屋から富士山を眺めることができます。敷地内には紅葉を中央に広々とした庭が併設され、館内のカフェは一般の方にも開放しています。 ホステル内ではコーヒーを片手にラウンジで時間を過ごす人、庭でぼーっとする人など、各自思いおもいの時間を過ごすことができます。

【住　所】山梨県南都留郡富士河口湖町船津3111-1
【料　金】ドミトリー 3,000円〜 個室 8,400円〜
【TEL】0555-72-1357（9:00〜21:00）
【MAIL】info@kagelow.jp
【URL】http://kagelow.jp/

⑲ guest house MARUYA（静岡）

guest house MARUYAは熱海の街中に詳しいスタッフが、ディープな飲み歩きコースや温泉などを紹介しています。MARUYAを街の玄関口としてどんどん外に出かけていって、熱海を好きになってほしいというのがスタッフの願いです。温泉でのんびりしたり、昭和レトロの街を歩き回ったり、いろんな楽しみ方をご提案します。

【住　所】静岡県熱海市銀座町7-8 1F
【料　金】ドミトリー 3,888円〜 個室 10,800円〜
【TEL】0557-82-0389（8:00〜21:00）
【MAIL】maruya@atamista.com
【URL】http://guesthouse-maruya.jp/

⑳ 飛騨高山ゲストハウスとまる（岐阜）

飛騨高山でお勧めの小さな贅沢！ 地元民御用達のお惣菜屋「こびしや」で天むすを買って川沿いで食べ、古い町並み近く「天龍」のきなこ団子をほおばり、カフェ「クーリエ」で台湾茶とマフィン。居酒屋「橙」で自家製ごま豆腐の揚げ出しと日本酒を味わい、50点を目指し「半弓道場」で弓を射て、最後は「とまる」のラウンジでのんびり〜。

【住　所】岐阜県高山市花里町6-5
【料　金】ドミトリー 2,500円 個室 6,000円〜
【TEL】0577-62-9260（10:00〜20:00）
【MAIL】info@hidatakayama-guesthouse.com
【URL】http://hidatakayama-guesthouse.com

㉑ ゲストハウスPongyi(ポンギー)（石川）

金沢は古いものと新しいものの魅力がミックスされた街です。兼六園や片町武家屋敷、ひがし茶屋街など古い町並みを楽しむもよし。21世紀美術館を代表する建築やアートを楽しむもよし。新鮮な海の幸や美味しいお酒を楽しむもよし。街中がおもてなしの心に溢れているので、心も身体も癒されますよ！

【住　所】石川県金沢市六枚町2-22
【料　金】ドミトリー 3,000円〜 個室 5,000円〜
【TEL】076-225-7369（9:00〜12:00/15:00〜21:00）
【MAIL】mail@pongyi.com
【URL】https://www.pongyi.com/

㉒ HATCHi 金沢 - THE SHARE HOTELS - （石川）

「北陸ツーリズムの発地」をコンセプトに、北陸に根ざして活動する人達とともに多様な企画を展開し、北陸の魅力を発信しています。空きビルをリノベーションし、地域の工芸品を設えたこだわりの空間設計が自慢。ラウンジでくつろいだり、シェアキッチンで料理をしたり、シェアスペース（共用空間）での過ごし方は様々です。

【住　所】石川県金沢市橋場町3-18
【料　金】ドミトリー 3,400円〜 個室 9,990円〜
【TEL】076-256-1100（7:00〜23:00）
【MAIL】hatchi@thesharehotels.com
【URL】https://thesharehotels.com/hatchi/

㉓ 福井ゲストハウス SAMMIE'S（福井）

福井駅東口徒歩5分、静かな住宅街の一角にSAMMIE'S はあります。まずはゲストハウスでおすすめの情報収集を。電車に乗って県内の観光地に行くもよし、近くでゆっくりするもよし。個性的な店主のカフェやバー、話題の場所、穴場のパワースポットなど、福井のディープなご縁を、おすそ分けさせていただきます。

【住　所】福井県福井市日之出2-6-8
【料　金】ドミトリー 3,300円〜 個室 4,500円〜
【TEL】0776-97-9559（8:00〜10:00/16:00〜21:00）
【MAIL】sammies291gh@gmail.com
【URL】http://sammies.jp/

㉔ 喫茶、食堂、民宿。なごのや（愛知）

なごのやが建つ円頓寺商店街には個性的なお店がいっぱい。商店街の下町の雰囲気や歴史の町並みの中をゆったり散歩したり買い物したり、ごはん食べたり、街中へ出かけたり、おもいおもいの時間をお過ごしください。創業80年以上の歴史をもつ1階の老舗喫茶では名物タマゴサンドが大人気。ぜひお試しください。

【住　所】愛知県名古屋市西区那古野1-6-13
【料　金】ドミトリー 3,240円〜 個室 8,640円〜
【TEL】052-551-6800（8:00〜22:00）
【MAIL】info@nagonoya.com
【URL】https://nagonoya.com

㉕ ピースホステル三条（京都）

ピースホステル三条はドミトリーや個室など、幅広い部屋タイプを用意しています。共用スペースも充実しており、天気が良い日は外のテラス席で淹れたてのコーヒーを楽しみ、夜は飲み物片手にバーカウンターで世界中の旅人との交流を深めるなど、あなたの旅のスタイルに合わせてご自由にご利用いただけます。毎朝朝食無料！

【住　所】京都府京都市中京区富小路通蛸薬師町531
【料　金】ドミトリー 2,900円〜 個室 5,000円〜
【TEL】075-746-3688（8:00〜24:00）
【MAIL】sanjo@piecehostel.com
【URL】http://www.piecehostel.com/sanjo/jp/

㉖ ゲストハウス錺屋（京都）

朝早く着いたら駅でイノダのモーニングを。自転車を借りて鴨川沿いを走り、町家カフェでのんびり。夜は近隣に美味しいお店が多くありますが、あえて錦市場でお買い物をして、錺屋のレトロなキッチンで自炊して京都暮らしを楽しんでみてください。銭湯も徒歩3分。近くのレンタル着付で手軽に着物で散策、撮影会もおすすめ。

【住　所】京都府京都市下京区五条室町西入南側東錺屋町184
【料　金】女性専用ドミトリー 2,800円 個室 6,500円〜
【TEL】075-351-1711（9:00〜21:00）
【MAIL】mail@kazari-ya.com
【URL】http://kazari-ya.com/

㉗ Len 京都河原町（京都）

清水寺や金閣寺や嵐山など、京都には有名な観光地が沢山あります。そういった場所を巡る旅ももちろん楽しいですが、たまには京都でのんびりとした一日を過ごしてみるのはいかがでしょう。私たちのオススメは鴨川ピクニック。Lenから徒歩2分の鴨川で、川を眺めてビールに読書。そんな贅沢な過ごし方も旅の魅力の一つです。

【住　所】京都府京都市下京区植松町709-3
【料　金】ドミトリー 2,600円〜 個室 7,000円〜
【TEL】075-361-1177（8:00〜22:00）
【MAIL】len@backpackersjapan.co.jp
【URL】http://backpackersjapan.co.jp/kyotohostel/

㉘ 高野山ゲストハウス Kokuu(コクウ)（和歌山）

奥の院には500年以上の老杉と20万基を越す墓碑や供養塔が立ち並び、弘法大師の入定の地として荘厳な雰囲気を醸し出しています。特に奥の院での早朝のお勤めは心が洗われ、お坊さんによるナイトツアーでは高野山の奥深さを知ることができます。1200年、守り継がれた信仰と豊かな自然を体感してください。

【住　所】和歌山県伊都郡高野町高野山49-43
【料　金】ドミトリー 3,500円〜 個室 9,000円〜
【TEL】0736-26-7216（8:00〜21:00）
【MAIL】info@koyasanguesthouse.com
【URL】http://koyasanguesthouse.com

㉙ Guesthouse RICO（和歌山）

2015年のオープンから3年半、2019年春RICO1階に旅人と地元の人が集えるバー＆ダイニング「Una rama de RICO」がオープンしました。その横にはゲストさんが思い思いに過ごせるフリースペースがあります。RICOの斜向かいにある銭湯の幸福湯は旅の疲れを取るのにオススメです。

【住　所】和歌山県和歌山市新通5-6
【料　金】ドミトリー 3,200円〜 個室 7,500円〜
【TEL】073-488-6989（16:00〜22:00）
【MAIL】guesthouse.rico@gmail.com
【URL】http://www.guesthouserico.com/

㉚ HOSTEL ユメノマド（兵庫）

ユメノマドがある新開地は昭和の空気が残る人情あふれる下町です。老舗から立食い、B級グルメまで色々なご飯屋さんが多く市場へも徒歩5分、隣にはスーパーもあり長期滞在の方やお家ご飯がお好きな方はとっても生活しやすくなっています。神戸の顔、ハーバーランドへも散歩できます。神戸らしさと下町を両方体感頂けます♪

【住　所】兵庫県神戸市兵庫区新開地1-2-2
【料　金】ドミトリー 2,400円〜 個室 4,500円〜
【TEL】078-576-1818（15:00〜22:00）
【MAIL】info@yumenomad.com
【URL】http://yumenomad.com

㉛ Y Pub&Hostel TOTTORI（鳥取）

Y Pub&Hostelは、1階がパブ（公共の社交場）、2階がホステルの機能を持つスペースです。Yは鳥取駅から300mのところに位置し、鳥取砂丘はもちろん、古くからある温泉などもある中心市街地へもアクセスも抜群です。山陰旅行の入口にご利用ください。

【住所】鳥取県鳥取市今町2丁目201 トウフビル1F・2F
【料金】ドミトリー 3,200円〜 個室 4,500円〜
【TEL】0857-30-7553（7:00〜10:00/18:00〜24:00）
【MAIL】mail@y-tottori.com
【URL】http://y-tottori.com

㉜ とりいくぐる Guesthouse & Lounge（岡山）

とりいくぐるのある岡山は交通の要衝！ 直島や豊島など瀬戸内の島々をはじめ、中四国各地へのアクセスは抜群。主要スポットへ電車やバスで気軽に行くことができるので、ここを拠点に巡る方もいらっしゃいます。1泊でも連泊でも大歓迎。スタッフのオススメ情報もお教えするので、あなたなりの旅を見つけてみてくださいね。

【住所】岡山県岡山市北区奉還町4丁目7-15 NAWATE内
【料金】ドミトリー 3,240円 個室 4,860円〜
【TEL】086-250-2629（8:00〜11:00/16:00〜22:00）
【MAIL】info@toriikuguru.com
【URL】http://toriikuguru.com/

㉝ 有鄰庵（岡山）

倉敷美観地区へ来たら有鄰庵へ。宿のコンセプトは、「えんをひろげる古民家」。毎日18時30分からゲストとスタッフが集まって上座も下座もなく"くるま座"になり、自己紹介タイムが始まります。昔ながらの風情ある町並みが残る倉敷は、大原美術館や、歴史的建造物をリノベーションしたオシャレなお店が軒を連ねます。

【住所】岡山県倉敷市本町2-15
【料金】ドミトリー 3,850円〜 個室 9,200円〜
【TEL】086-426-1180（8:00〜21:00）
【MAIL】guesthouse@yuurin-an.jp
【URL】https://yuurin-an.jp/

㉞ 尾道ゲストハウスあなごのねどこ（広島）

尾道は、坂の街、寺の街、映画の街、自転車の街。アクティブに動き回りたい人も、まったりのんびりしたい人も最高の場所です！ 老舗の店や移住者が開いた個性的な店など紹介したいところいっぱいです。長期の宿泊がオススメです！ 併設の「あくびカフェー」もいい雰囲気が漂ってます。

【住所】広島県尾道市土堂2丁目4-9
【料金】ドミトリー 2,800円
【TEL】0848-38-1005（16:00〜22:00）
【MAIL】anago@onomichisaisei.com
【URL】http://anago.onomichisaisei.com

㉟ 萩ゲストハウスruco（山口）

色濃く歴史が刻まれた萩には、豊かな自然と美味しい素材、そして萩に暮らす素敵な人たちが築く穏やかな日常があります。ここに流れる日常、そして壮大な自然が織りなす四季折々の萩の情景に浸っていただければ幸いです。

【住所】山口県萩市唐樋町92
【料金】ドミトリー 2,800円 個室 4,500円〜
【TEL】0838-21-7435（9:00〜11:00/16:00〜22:00）
【MAIL】hagi@guesthouse-ruco.com
【URL】http://guesthouse-ruco.com

㊱ ウズハウス（山口）

チェックイン後、まずは目の前の赤間神宮へ参拝を。晩御飯は下関ならではのふぐや海鮮・焼肉などがオススメです。宿に戻ってきたら1階で軽く飲みなおしながらスタッフと談笑、寝る前には必ず屋上からステキな夜景を堪能してください。次の日の朝が金・土・日・祝であれば近くの唐戸市場で1貫から選べる握り寿司を！

【住所】山口県下関市阿弥陀寺町7-8
【料金】ドミトリー 2,200円 個室 4,000円〜
【TEL】083-250-9787（9:00〜22:00）
【MAIL】info@uzuhouse.com
【URL】http://uzuhouse.com/

㊲ Sen Guesthouse（センゲストハウス）（香川）

日常のせわしさは頭の外に追い出して、バルコニーで眼下に広がる海を眺めながらリラックス。プライベートビーチで泳いだり、ハンモックでゴロゴロしたり。そろそろ何かしたくなってきたら醤油アイスや生素麺を食べに行ったり山岳霊場を拝みにハイキングしたり。でも一日の〆はぜひバルコニーに戻ってサンセットタイムを。

【住所】香川県小豆郡小豆島町田浦乙687-15
【料金】ドミトリー 3,400円〜 個室 6,000円〜
【TEL】0879-61-9980（8:00〜12:00/15:00〜20:00）
【MAIL】info@senguesthouse.com
【URL】https://senguesthouse.com

㊳ TEN to SEN ゲストハウス高松（香川）

TEN to SENは、高松中央商店街に隣接した路地裏の大変便利な場所にあります。周辺には有名なうどん店や飲食店がたくさん。館内のインテリアはカラフルで清潔感があり、女性の一人旅の方にも安心してご利用いただけます。高松を拠点に昼は瀬戸内のアートな島巡りやうどん、夜は安くて美味しいお店を色々ご紹介いたします。

【住所】香川県高松市田町1-11-2階
【料金】ドミトリー 3,000円 個室 3,500円〜
【TEL】087-813-0630（9:00〜22:00）
【MAIL】info@tentosen.jp
【URL】http://tentosen.jp/

㊴ かつおゲストハウス（高知）

「桂浜の湯、四万十トイレ、かつおルーム」など、高知の名産・文化をテーマにした内装のデコレーションは、一級建築士が唸るほど！ 地元タウン誌の元副編集長だった女将さんが教えてくれるかつおの塩タタキ情報は、旅人さんだけの美味しい特典です♪高知の有名違法建築「沢田マンション」の見学も抜かりなく〜。

【住 所】高知県高知市比島町4丁目7-28
【料 金】ドミトリー 2,800円〜 個室 3,800円〜
【TEL】070-5352-1167（8:00〜20:00）
【MAIL】katuo.gh@gmail.com
【URL】http://katuo-gh.com/

㊵ Hostel and Dining Tanga Table（福岡）

北九州にはおいしいがたくさんある。小倉ではうどんやおでん、門司港や下関では水揚げされたばかりの新鮮なお魚が味わえ、お腹いっぱいになればおしゃれなカフェでひとやすみ。夜になると北九州発祥の「角打ち」で地元の方々とお酒を飲み交わすのも小倉の街の醍醐味です。

【住 所】福岡県北九州市小倉北区馬借1丁目5-25 ホラヤビル4F
【料 金】ドミトリー 2,800円〜 個室 3,800円〜
【TEL】093-967-6284（7:00〜26:00）
【MAIL】info@tangatable.jp
【URL】http://tangatable.jp/

㊶ &AND HOSTEL FUKUOKA（福岡）

&AND HOSTEL FUKUOKAに来たら、気軽にスタッフに話しかけて、アクティブに福岡・博多の風を感じに出かけてみてください。面白い人や店、歴史ある神仏や懐かしい風景に巡り会えます。木のぬくもり溢れる1階ラウンジで丁寧に淹れるコーヒーや自家製シロップのドリンクを楽しむのもオススメです。

【住 所】福岡県福岡市博多区上川端町10-5
【料 金】ドミトリー 3,300円〜 個室 8,800円〜
【TEL】092-273-0770（8:00〜22:00）
【MAIL】info@andhostel.jp
【URL】https://andhostel.jp/fukuoka

㊷ なきじんゲストハウス 結家（沖縄）

我が家の一番のおすすめは目の前の海で遊ぶことですが他にも車で20分で行ける観光スポットたくさん！ ちゅら海水族館と熱帯ドリームセンターの海洋博公園、橋で渡れる古宇利島、世界遺産の今帰仁城、備瀬フクギ並木、放し飼いの鳥に餌をあげられるネオパークオキナワ、試食ができるパイナップルパークなど見所いっぱい。

【住 所】沖縄県国頭郡今帰仁村字仲尾次609
【料 金】ドミトリー 2,200円 個室 2,500円〜
【TEL】090-8827-8024（9:00〜24:00）
【MAIL】musubiya088@yahoo.co.jp
【URL】http://musubiya.co/

どうやって決める？ 旅先選びのあたらしいかたち

ゲストハウスの旅をもっと楽しむ！3

あなたは旅に出るときどのように行き先を決めていますか？ 候補を決めて消去法？ TVや雑誌、SNSで気になる情報から？ 編集部がおすすめしたいのは「バーゲンから探す」方法。よりおトクに楽しく旅先を開拓するために、格安航空会社LCCやバス会社のバーゲン情報をマメにチェックして、激安チケットが見つかったら即ゲット。そうして大きく旅先の地域を行き当たりばったりに決めてから、そこから移動できる範囲のゲストハウスを見つけ、泊まってみるのです。行き先をダーツで決める旅のように、国内旅行でもLCCを活用して知らないまちへ出かけてみる。バスや車では行きづらい遠い地域でも、日程をフレキシブルに設定すれば、びっくりする程の激安価格でチケットが手に入ります。大まかな行き先を決めて素敵なゲストハウスを予約して、あとは現地で情報収集。宿のスタッフに聞いた気になるショップは地図アプリに保存。探検気分で出かけてみれば、予想外の驚きが待っているかもしれません。

guesthouse 🏠 press スペシャルロゴサポーター

ゲストハウスプレス

書籍制作にあたり、クラウドファンディングでご支援くださったまちに溶け込み盛り上げる企業や
ゲストハウスさま、お名前掲載可能な個人のみなさまをご紹介しています。

なきじんゲストハウス結家
海まで30秒！ 夕飯シェアの交流型沖縄安宿
https://musubiya.co/

創造系不動産
地方のくらしとビジネスの可能性を探求する
http://www.souzou-kei.com/

HafH
HafH
定額制住み放題、ゲストハウスを第2の故郷に
https://hafh.com/ja/

Trip&Sleep Hostel
名古屋・大須のアットホームなホステルです！
http://tripsleephostel.com/

Animal cafe cureowl & guesthouse
泊まって癒される宿！ アニマルセラピー付！
http://www.emi-t.jp/cureowl/

としもりサンフィッシュデンタルクリニック
大阪市旭区千林 感動与える真心治療目指して
http://toshimori.net/sunfish/

尾道ゲストハウス あなごのねどこ
坂と路地の港街 尾道にある細長〜い宿です。
http://anago.onomichisaisei.com/

guest house MARUYA
熱海がもう一つの日常になる宿
http://guesthouse-maruya.jp/

WISE OWL HOSTELS
眠らない東京を体感するホステル
https://wiseowlhostels.com/

SHARIN Kanazawa Traveler's Inn
個室も完備、金沢駅徒歩7分小さな宿です
http://sharin.co/

Hotorinite
日本一標高の高い多目的ダムに佇む小さな宿
http://www.hotorinite.com/

ハァ! RENOVATION

株式会社エンジョイワークス
宿づくり「参加型」クラウドファンディング
https://hello-renovation.jp

ushiyado
NAKASHIBETSU, HOKKAIDO

ゲストハウスushiyado
牛と新しい関係が生まれる宿
http://ushiyado.jp/

シーナと一平

シーナと一平
池袋から一駅の下町商店街に溶け込むまちやど
http://sheenaandippei.com/

岐阜羽島ゲストハウス心音COCONE
日本の真ん中岐阜羽島、どこでも簡単アクセス
https://guest-house-gifuhashima-cocone-jp.book.direct